나 는 간첩입니다

나는 간첩입니다.

발 행 | 2023년 12월 25일
저 자 | 신현성, 양진우, 장윤호, 허도균
펴낸이 | 한건희
펴낸곳 | 주식회사 부크크
출판사등록 | 2014.07.15.(제2014-16호)
주 소 | 서울특별시 금천구 가산디지털1로 119 SK트윈타워 A동 305호
전 화 | 1670-8316
이메일 | info@bookk.co.kr

ISBN | 979-11-410-5963-7

www.bookk.co.kr
ⓒ 신현성, 양진우, 장윤호, 허도균 2023

나는 간첩입니다

신현성, 양진우, 장윤호, 허도균 지음

목 차

프롤로그

나는 리광철, 북한에서 손꼽히는 군인이다.

나와 나의 절친 '장윤' 막내 '허시정' 활발하고 착한 '신동팔' 용감하지만 좀 나대기를 좋아하는 '양상진' 우리 동무들은 남한에 군사 정보를 캐러 가려고 6개월 동안 남한 말을 배우고 호된 훈련도 했다. 나는 지금 무사 귀환을 빌고 있다. 왜냐하면, 내가 무사 귀환을 해야 다시 약혼녀인 나숙자와 만나 결혼할 수 있기 때문이다. 우린 다음 주 수요일 오전 2시에 출발해서 오전 3시 도착을 목표로 하고 있다.

　나는 간첩입니다.

제1화 남한으로

"탕!"

"탕!"

"오~우"

내가 말했다.

"아니 저번 주에는 컨디션이 안 좋았다니까?"

장윤이 죽상을 쓰며 반박했다.

"저번엔 바람이 불었다고 했잖아."

내가 어이없는 표정을 지으며 말했다.

"아, 그랬었나?"

장윤이 뻘쭘한 듯 웃었다.

"그러면 이번에는 네가 쏴 봐"

장윤이 말했다. 나는 매우 집중하고 한발, 한 발 쐈다.

"오~ 잘 쏘는데"

장윤이 말했다. 우린 계속 사격 연습을 하다가 중간에 나무 그늘에서 물을 마시고 쉬었다.

"이제 들어가서 신동팔 동지도 같이 작전에 관해 이야기해 보자."

신동팔은 미리 와서 무언가를 읽고 있었다.

"안녕하십니까? 신동팔 동무"

"아, 안녕하십니까? 리광철, 장윤동무"

신동팔이 말했다.

"아 그 계획에 대해서 하실 말이 있다고 해서 왔습니다."

장윤이 굳은 표정으로 말했다.

"그 할 말이 무엇입니까?"

내가 질문했다.

"아 그 계획이 변경되어 비행기를 타지 않고 한 사람당 한 명씩 배를 타고 이동한다고 합니다."

신동팔이 말했다.

"왜 비행기를 타지 않습니까?"

내가 궁금하다는 듯 질문했다.

"왜냐하면, 비행기를 타면 소리가 너무 커서 들킬 확률이 크기 때문입니다."

신동팔이 대답했다.

"그러면 아까 동무가 보고 있던 것은 무엇인가요?"

"아~ 별것 아니오, 그냥 높으신 분에게 받은 편지요, 편지"

신동팔이 무언가를 숨긴 듯이 말했다.

"한 번만 보여줘요."

장윤이 일어서며 말했다.

"이것은 비밀이라 보여줄 수가 없습니다, 죄송합니다."

신동팔은 짜증이 섞인 목소리로 말했다.

"아, 괜찮습니다."

장윤이 대답했다. 그런데 갑자기 정적이 흐르고 분위기가 싸해져서 나는 분위기를 바꾸려고 신동팔에게 말을 걸었다.

"그런데 그 배는 우리가 한 번도 안 타봤을 텐데 언제 타볼 수 있습니까?"

"제 생각에는 내일 오후 4시부터 6시까지 탈 거 같습니다."

신동팔이 당연하다는 듯 대답했다.

"알겠습니다, 그러면 내일 다시 만납시다."

내가 말하고 나가려고 했는데 장윤이 말했다.

"근데 우리 헤어지기 전에 같이 저녁밥이라도 먹을까요?"

"아, 좋습니다. 근데 어디로 가죠?

내가 말했다.

"제가 근처에 평양냉면 맛집을 아는데 거기로 갈까요?"

신동팔이 입맛을 다시며 제안했다.

"네, 좋습니다. 거기로 가시죠."

우리는 신동팔이 제안한 평양냉면 맛집으로 이동했다.

"아주머니, 여기 세 명이요~"

"후루룩~ 와, 되게 맛있네요!"

내가 입맛을 다셨다.

"그렇죠? 저도 제 지인들과 자주 와요."

신동팔이 만족한 듯 웃었다. 그리고 갑자기 사장님이 오셔서 덤이라고 음료를 주고 가셨다.

"감사합니다."

"여긴 사장님도 착하시고 음식도 맛있으니, 저도 나중에 제 약혼녀랑 한번 와야겠어요."

그리고 우리는 근처에 맛있고 인기도 많은 떡집에 가래떡과 송편을 먹으러 갔다.

"사장님 여기 송편이랑 가래떡 1인분씩만 주세요."

장윤이 입맛을 다시며 주문했다.

"여기 있습니다."

떡집 사장님이 맛있어 보이는 떡을 주셨다.

그리고 우리는 나와서 예쁜 공원에서 떡을 먹었다.

"와, 이 공원 예쁘다!"

장윤이 말했다.

"그러네, 예쁘다."

내가 말하면서 송편을 먹었다.

"와, 유명한 곳은 유명한 이유가 다 있네."

"오 여기 가래떡도 쫄깃쫄깃한 게 진짜 맛있네요."

신동팔이 쩝쩝대며 가래떡을 씹었다.

"네, 여기 되게 맛있다고 유명해요."

장윤이 말했다.

"다음에도 또 와야겠어요."

"우리 다음에 남한에 갔다가 다 같이 다시 먹으러 와요"

내가 말했다.

"그래요, 우리 다 무사히 귀환해서 다시 먹으러 와요."

우린 모두 다 떡까지 잘 먹고 각자 집으로 갔다. 나는 집에 와서 자려고 침대에 누웠다.

"어휴 피곤해, 내일도 바쁘겠구먼……."

내가 침대에 누워서 혼잣말을 중얼거렸다.

다음 날 아침…. 나는 몸이 너무 찌뿌둥해서 일어나기가 힘들었다. 어제 너무 늦게 들어와서인 것 같다. 나는 아침을 대충 때우고 오전 훈련을 했다. 그리고 점심까지 야무지게 먹고 배 타기 훈련하러 갔다. 갔을 때는 이미 장윤 동무, 신동팔 동무, 양상진 동무, 허시정 동무까지 다 와있었다.

"안녕하십니까, 동무들"

내가 우리 동무들에게 인사를 건넸다.

"아, 예 안녕하세요."

허시정이 공손히 인사했다. 우리가 서로 인사를 나누는 동안 교관님이 오셨다.

"모두 안녕하십니까?"

배 타기를 가르쳐주시는 교관님께서 말씀하셨다.

"네, 안녕하세요."

모두 같이 말했다.

"오늘은 배 타기 지상 훈련을 하고 6시까지 타볼 겁니다."

교관님이 웃으며 말했다.

"그런데 우리가 탈 배는 어디 있습니까?"

"네, 저기 있습니다."

"이 배가 침투하기 가장 좋은 배입니다, 하지만 시끄럽게 장난을 치면 들킬 가능성이 큽니다."

교관님이 매우 진지한 말투로 말했다.

"언제 타볼 수 있나요?"

장윤이 궁금한 듯 물었다.

"네 지금 지상 훈련을 하고 탈 것입니다."

교관님이 대답했다._나도 되게 긴장이 되면서도 기대가 됐다. 그리고 우린 지상 훈련을 한 뒤, 배에 올랐다. 확실히 땅에서와 느낌이 달랐다.

"지금부터 6시까지 자유롭게 타고 다니시면 됩니다."

교관님이 우리에게 지시하였다. 양상진과 신동팔은 쫙- 쫙- 잘만 나가는데, 나와 허시정은 잘 안 나갔다. 장윤도 잘 타긴 했는데 양상진과 신동팔이 훨씬 더 잘 탔다. 나는 배를 타다가 1번 엎어졌고 허시정은 너무 많이 엎어져서 지상 훈련을 더 하다가 들어갔다. 훈련이 끝나고 교관님이 말했다.

"내일 4시에 또 훈련이 있습니다."

"네"

우리 모두 말했다. 그리고 우린 인사를 하고 헤어졌다. 다음 날에도 우리는 똑같은 곳, 똑같은 시간에 훈련받았다. 이번엔

다 비슷비슷하게 다 잘 탔다.

"다행히도 오늘은 비슷비슷하게 다 잘 타내요."

훈련이 끝나고 신동팔이 말했다.

"곧 있으면 실전이네요."

"잘해봅시다!"

"아자-!"

모두 다 외쳤다. 다음날 나는 아침 일찍부터 사격훈련을 하고 아침을 먹었다. 그리고 내일 모래 남한으로 갈 때 필요한 물품을 쌓는다. 한 시간 정도 지나고 나는 약혼녀의 집으로 가서 초인종을 눌렀다. '딩동- 딩동-'

"누구세요?"

약혼녀가 얼굴을 내밀었다.

"나야, 리광철."

"어, 들어와"

"왜? 왜 왔어? 무슨 할 말 있어?"

"너 보러왔지."

"밥 먹었어?"

"아니, 아직"

"그러면 밥 먹고 가"

약혼녀가 말하면서 밥을 하러 갔다. 내가 집을 돌아다니다가 한 나이가 들어 보이는 남성이 커다란 총을 들고 있는 사진을 봤다.

"이분은 누구이셔?"

"아~, 이분은 내 아버지이셔, 6·25전쟁 때 돌아가셨어."

"아……."

"괜찮아, 좋은 곳에 가셨을 거야."

나는 조금 있다가 점심을 먹는데 약혼녀가 식탁 반대편에 앉아서 밥도 먹지 않고 떨어져 있었다. 수상한 것은 그것이 끝이 아니었다. 밥을 만들 때도 계속 기침했고 집을 돌아다니면서 어디 구석에 약이 있는 것도 보았다.

"어디 아파? 왜 안 먹어?"

나는 걱정이 되어서 나숙자에게 물었다.

"나 살이 좀 쪄서 살을 빼려고"

"수상해, 아까부터 계속 기침하고 저쪽에 약도 있고 어서 솔직히 말해."

"그게 사실 나 독감에 걸린 것 같아"

나숙자는 꾸물거리다가 말했다.

"왜 말을 안 했어?"

"왜냐하면, 네가 걱정되어서 남한에 가서 군사정보 캐러 못 갈까, 봐."

"치료할 수 있는 거지?"

"잘 모르겠어."

"병원은 가봤어?"

"아니 아직"

"오늘은 너무 늦었으니 내일 병원에 같이 가보자, 내일 12시에 다시 올 테니까 준비하고 있어."

"알겠어."

"내일 봐"

나는 그 말을 남기고 다시 집으로 돌아갔다. 나숙자는 아픈 몸을 이끌고 나를 배웅하러 나왔다. 다음날에 나는 왠지 모르게 화가 나 있었다. 누구에게 화가 났는지 계속 생각하다 알아냈다. 나는 나에게 화가 나 있었다. 왜냐하면, 약혼녀가 자기 때문에 아프고, 자기 때문에 자기가 아픈 걸 숨기고 있다고 생각했기 때문이다. 나는 자신의 화를 가라앉히고 훈련하러 갔다. 그곳에는 장윤이 먼저 와있었다. 장윤은 반갑게 나를 맞이해 주었다.

"안녕"

"응, 안녕"

가벼운 인사를 건네고 우린 각자 훈련했다. 훈련 도중에 내가 장윤에게 귓속말로 말했다.

"끝나고 다 갈 때까지 기다려, 너한테 할 말이 있어."

"알겠어."

훈련이 끝나고 나랑 장윤 빼고는 다 집에 가서 내가 뭐부터 말할까, 고민하다가 말했다.

"나 출발 시각을 한 2주 정도 미루려고 하고 있어"

장윤이 놀란 듯이 소리쳤다.

"뭐?!, 야 너 미쳤냐?"

"아니 일단 내 얘기 좀 들어보고 말해."

내가 흥분을 가라앉히고 말했다.

"닥쳐!"

"뭐라고? 듣지도 않고 닥치라니 말이 너무 심한 거 아니야?"

나도 지지 않고 소리쳤다. 장윤의 태도에 나는 당황했다.

"야, 지금 모든 사람이 거의 다 준비했는데 말도 안 되는 소리 하지 마, 너 지금까지 있던 일 다 이해해 주는데 오늘 이 것만은 이해 못 하겠다!"

"모두 다 이해 못 해도 너만은 이해할 줄 알았는데 너까지 이 러냐. 우리 친구 아니었어?"

"원래는 친구였는데 이제는 아닌 것 같다."

"고작 이런 말로 우리가 친구가 아니게 된다고? 장난이었을 수도 있잖아"

"그러면 그게 장난이었어?"

"장난이겠냐?"

"너 성격에 장난은 무슨 장난."

장윤이 혼잣말로 중얼거렸다.

"어이없네."

나는 말하고 화나서 나가버렸다. 몇 초 있다가 장윤도 나가버 렸다.

나는 나가서 약혼녀의 집으로 갔다. 도착하니 현관문이 열려 있었다. 들어가니 구조대원들이 들것에 올려진 약혼녀 들어서 차에 옮겨 태웠다.

"그쪽이 이분 보호자 되시나요?"

의사가 물었다.

"네, 이 사람 약혼자입니다."

"잘됐네요, 빨리 따라오세요."

그리고 난 의사를 따라 차에 탔다.

"잠시만요, 지금 이게 무슨 일입니까?"

"갑자기 쓰러졌습니다….

"몹시 아픕니까?"

"잘 모르겠습니다. 병원에 가봐야 알 수 있습니다."

"그럼 어떻게 발견했습니까?""

"어느 한 지나가던 행인이 나숙자 씨의 집을 지나가는데 갑자기 쿵 소리가 나서 봤는데 나숙자 씨가 쓰러져 있어서 우리한테 신고했습니다."

그리고 우린 병원에 도착해서 약혼녀는 큰 방에 들어가서 치료를 받고 나는 앞에서 기다렸다. 난 가슴이 너무 조마조마해서 미칠 것 같았다. 한 시간 정도 갔다가 그 큰 방의 문이 열렸다. 난 궁금하기도 하고 두렵기도 했다.

"어떻게 됐습니까?"

"열이 너무 높아서 쓰러진 것입니다, 그리고 독감에 걸렸으니 옮지 않게 주의하십시오."

"지금 들어가 봐도 됩니까?"

"아니요, 지금 잠들었습니다. 제 생각에는 내일에서 모레쯤에 다시 오는 걸 추천해 드립니다."

"알겠습니다."

나는 아쉬운 듯 말하고 바로 병원에서 나왔다. 그리고 나는 김정운 상사가 있는 곳으로 갔다.

"무슨 일인가? 리광철."

"그게, 출발 시각을 늦추고 싶습니다."

김정운 상사가 따지듯이 말했다.

"이유는?"

"그, 제 약혼녀가 독감에 걸리고, 조금 아파서 간호해 주고 가고 싶습니다."

김정운 상사가 목소리를 높여 말했다.

"말이 된다고 생각하나? 우린 그깟 일 때문에 시간을 지체할 만큼 시간이 넘치지 않는단 말이다!"

나는 머리끝까지 화가 나서 당장이라도 뛰쳐나갈 듯이 소리질렀다.

"그깟 일? 그깟 일이요? 지금 제가 가장 사랑하는 사람이 지금 죽을지도 모르는데 그 일이 그깟 일이라고요?!"

"지금은 남한의 군사정보를 캐는 게 더 중요하다. 만약에 남한이 엄청난 군사력을 가지고 쳐들어온다면 우리 온 국민이 죽는데, 지금 이 일이 더 중요하지 않겠는가?"

"지금 저에게는 오히려 그 일이 그깟 일이네요. 그게 그렇게 중요하면 절 빼고 보내시죠? 전 죽어도 안 갈 테니까,"

"나가!!! 이 방에서 나가란 말이다!!"

나는 바로 나가버렸다.

"저 무례한 놈! 그래도 저놈이 없으면 군사정보를 캐기 힘들기는 할 텐데, 어떡하면 좋을 것 같나?"

"제 생각에는 저놈을 빼고 출발하는 게 좋을 것 같습니다."

옆에 있던 병사 한 명이 말했다.

"전 의견이 다릅니다. 그냥 한 1주일 정도 후에 출발해도 별지장이 없을 것 같습니다."

"리광철은 진짜로 안 갈 것 같으니 장윤, 신동팔, 양상진, 허시정에게 출발을 조금 미루겠다고 전해라."

"예"

다른 한 병사가 말하고 나갔다. 그 병사는 지금 나를 제외한모두가 훈련하는 곳으로 갔다.

"오늘은 왜 리광철 동무가 훈련에 오지 않았지?"

양상진이 훈련을 끝내고 혼잣말로 중얼거렸다. 장윤은 이유를알 것도 같지만 따로 설명하진 않았다. 그런데 갑자기 그 병사가 뛰어오더니 말했다.

"여러분 잠시만요, 김정운 동무의 말씀을 전하러 왔습니다."

신동팔이 궁금한 표정으로 물어봤다.

"그 말이 무엇입니까?"

"김정운 동무가 출발 시각을 조금 늦춘다고 합니다."

이번에는 장윤이 말했다.

"왜 늦추는 것입니까?"

"그게, 리광철 동무의 약혼녀가 너무 아파서 조금 괜찮아질때까지는 리광철 동무가 출발하지 않겠다고 해서 조금 미뤄졌습니다."

장윤은 나의 약혼녀가 아프다는 말을 듣고 내가 왜 미루러 했는지 이해가 갔다. 다음날 나는 아침에 일찍 일어나서 병원부터 가려다 약혼녀가 자고 있을 수도 있어서 아침을 먹고 약혼녀에게 끓여줄 죽 재료를 사러 시장에 갔다. 시장에 가서 나는 채소가게에 가장 먼저 갔다.

"여기 당근이랑 애호박 있나요?"

"당근은 저기 옆 채소가게에 있고 우리 당근은 다 팔렸어."

"그러면 애호박 1개만 주세요."

"자, 여기"

채소가게 아주머니가 애호박을 건네주었다. 나는 그 옆 채소가게에 가서 말했다.

"여기 당근 1개만 주세요"

"네 여기 있습니다."

채소가게 아저씨가 말하고 당근을 건네주었다. 그다음으로 나는 고깃집에 갔다.

"아저씨 여기 최고로 맛있는 고기로 한 근만 주세요."

"뭐 만들어 드시게요?"

"죽 끓여다 주려고요."

"누가 아픈가요?"

"네, 제 약혼녀가 아파서 죽을 끓여주려고요."

"그럼, 여기 있습니다."

그리고 나는 쌀집에 갔다.

"아주머니 여기 찹쌀 조금만 주세요"

"자 여기요"

나는 살 것을 다 사고 집에 돌아왔다. 그런데 갑자기 내 현관 문 종소리가 들렸다.

'딩동, 딩동'

"누구세요?"

내가 말하면서 문을 열었다. 장윤이였다.

"무슨 일이야?"

"어, 그게…. 할 말이 있어서."

"그게 뭔데?"

장윤은 미안한 표정으로 말했다.

"그 내가 이유도 모르면서 너무 말이 심했던 것 같아서…"

"나도 이유도 제대로 설명 안 하고 화낸 건 너무한 것 같아서 어떻게 사과할지 고민하고 있었어."

장윤은 내 집을 두리번거리더니 물었다.

"근데 이 냄새는 뭐야?"

"죽 끓이고 있었어, 내 약혼녀한테 병문안 가려고. 근데 너 오늘 남한에 내려가지 않아?"

"시간 조금 미루어졌잖아, 몰랐어?"

"다행이다…"

"일단 왔으니까 밥 먹고 가."

"응, 알겠어."

나는 밥과 반찬을 만들었다. 장윤은 내가 요리하는 동안 식탁을 정리했다.

"우와! 맛있겠다."

"너 아침이랑 점심 안 먹었지?"

내가 물었지만, 장윤이 하도 급하게 먹어서 대답하지 않았다. 우리가 밥을 다 먹으니 9시가 넘었다.

"지금은 너무 늦었으니 이 방에서 자고 가."

"응, 고마워."

다음 날 아침 일찍부터 우린 나갈 준비를 했다.

"준비 끝났어?"

장윤이 내 방에 들어왔다.

"아직, 죽도 데워야 하고 옷도 갈아입어야 해."

"그럼 넌 옷을 갈아입어, 내가 죽을 데울게."

"알겠어"

모든 준비가 끝나고 우린 병원으로 출발했다. 도착해서 방 안으로 들어갔다.

"안녕하세요."

"어 아직 안 갔어?"

"너 아프다고 해서 시간을 미뤘어."

"그게 사실 김정운 씨에게서 전화가 왔었어."

"그 사람이 뭐라고 했는데?"

"그 사람이 네가 오면 남한에 내려가게 해주라는 말이었어…. 남한에 안 가겠다고 한 거야?"

"아니야, 난 시간을 미루어 달라고만 했어. 너 더 괜찮아지면 내려가려고."

"난 네가 이렇게 해주는 거 진짜 좋은데 나 때문에 네가 하는 일이랑 네 동무가 피해받는 건 싫어"

"아니야, 너 때문에 피해받는 게 아니야."

"진짜로 그 사람 말 때문에 그런 건 아닌데, 내 생각엔 너 그냥 남한에 내려가는 데 좋을 것 같다고 내가 병원 침대에 누워 있는 동안 계속 생각했어, 나도 더 괜찮아지기도 했고…"

"음 알겠어, 어차피 너 조금 더 괜찮아지면 남한으로 내려가려고 했으니까…. 그리고 이건 내가 어제 너 주려고 끓인 죽이야, 이따가 한번 먹어봐."

"알겠어, 고마워."

"응, 그러면 안녕"

"응, 꼭 살아서 돌아와…"

"알겠어, 꼭 살아서 돌아올게…"

그리고 나는 장윤과 함께 병원 밖으로 나갔다.

"김정운한테 전화해, 내일 밤 10시에 출발하자고"

"진짜? 그렇게 빨리?"

"응, 진짜로"

장윤은 바로 전화를 걸었다.

"여보세요?"

"안녕하십니까? 저 장윤인데요, 리광철 동무가 내일 10시에 출발하자고 해서요."

"음, 알겠네, 내일 새벽 2시까지 개성특급시 바다로 와라. 다른 사람들에게도 말할 테니까."

그리고 김정운은 한 병사를 나머지 사람들이 훈련받고 있는 곳으로 보냈다.

"여러분 김정운 동무가 내일 출발하기로 계획을 바꿨습니다. 내일 새벽 2시에 개성특급시 바다로 모이세요."

"근데 리광철 동무와 장윤 동무는 지금 어디에 있습니까? 내일 오기는 합니까?"

"네, 리광철 동무와 장윤 동무는 지금 병문안에 갔고요, 내일은 올 것입니다."

나랑 장윤은 헤어져서 각자 집에 가서 짐을 챙겼다.

다음날 나는 새벽 1시에 일어나서 나갈 준비를 했다.

"흠, 오늘은 좀 추울 것 같군, 옷을 좀 따뜻하게 입어야지"

예상대로 밖은 좀 추웠다. 하지만 나는 옷이 따뜻해서 춥지 않다고 생각했다.

"흠, 내 예상이 틀렸군."

도착해선 신동팔과 김정운은 이야기하고 있었고 허시정은 근처 의자에 앉아 있었다. 내가 도착하고 몇 분 뒤 장윤과 양상진이 도착했다.

"안녕 장윤."

"안녕."

우리가 다 인사를 하고 있는데 교관님이 오셔서 말씀하셨다.

"여러분 인사는 생략하고 빠르게 작전 설명하겠습니다."

"여러분 우린 배를 타고 저 조류를 건너 조용히 파주까지 갈 것입니다. 그리고 건너면 배에 구멍을 내서 흔적을 없애야 합니다. 그리고 일단 조용히 남한군들을 피해서 남한군이 없는 곳으로 가세요."

"그리고 여기 있는 검은색 옷으로 갈아입으세요."

내 예상은 정확했었다. 오늘은 매우 추웠지만, 옷이 너무 두꺼워서 몰랐다.

"으~ 추워."

"맞아요, 너무 춥네요."

그리고 우린 각자의 임무도 확인했다. 지도는 신동팔이 챙겼다.

"배는 한배에는 허시정, 리광철, 장윤이 타고 다른 배에는 양상진, 신동팔이 탄다."

우린 교관님이 말한 대로 배에 탔다.

"출발!!"

출발해서 노를 젓다가 그 조류를 찾았다.

"이 조류가 맞나요?"

"잠시만요, 여기에 지도가 있었을 텐데…. 찾았다, 아니요, 조금 더 가서 다른 조류를 타야 해요."

"그럼, 여기인가요?"

"아니요, 저기 앞에 저거예요."

우린 그 조류를 타서 노들을 물에 버리고 조용히 갔다.

"이야-, 이대로만 가면 절대 안 들키겠는데?"

양상진이 갑자기 일어서서 앞쪽을 보며 말했다.

"아직 조용히 하고 가야 합니다."

신동팔이 양상진을 앉으면서 말했다.

"네, 네, 알겠습니다."

양상진이 비꼬는 듯한 말투로 말했다. 1시간쯤 지나니 남한에 도착했다. 우린 다시 옷을 갈아입었다. 그리고 우린 모두 긴장했었다. 그래서 깜빡하고 배의 흔적을 없애지 않았다.

"드디어 남한이군"

"여기는 초소가 없는데 더 가면 초소가 많이 나오니까 거기까지 가서 떠들면 안 됩니다."

"하–암, 피곤해…. 어차피 전쟁도 안 하는데 왜 우리가 보초를 서야 하는 거야?

한 남한군이 하품하며 말했다.

"혹시 모르잖아."

다른 남한군이 말했다.

"어! 저기 저거 뭐야"

"뭐가?"

"저기 저거 배 아니야?"

"뭐? 우리 부대에서는 지금 배 쓸 일이 없을 텐데"

"근데 다른 부대 것일 수도 있잖아"

"그래도 한번 보러 가자, 혹시 무장간첩일지도 모르니까"

"그래 한번 가보자"

우린 그 배가 있던 곳에서 100걸음도 떨어지지 않은 곳에서 조용히 걸어가고 있었다.

"뭔가를 까먹은 것 같은데…."

"뭐라고?"

"아닙니다."

"어휴 심심해 갑자기 남한군이 나오면 재밌겠네"

"불안하게 그런 말 하지 마세요."

신동팔이 말하자마자 두 남한군이 나왔다.

"깜짝이야!"

남한군은 우릴 보며 말했다.

"누구냐!"

우리는 빠르게 대답했다.

"우린 여기 근처에 사는 사람입니다.

"여기는 무슨 일이냐?"

"우린 여기 바다에 고기를 잡으러 왔습니다."

"이렇게 이른 시간에?"

"네, 지금은 고기가 다 자고 있어서 잡기가 쉽습니다."

"그럼 잡은 물고기를 보여줘라."

"네, 여기 있습니다."

장윤이 이렇게 말하고 남한군들 얼굴에 물을 뿌리고 또 말했다.

"뛰어!"

장윤이 그렇게 외치자마자 모두 뛰었다.

"좋은 생각이었지?"

장윤이 뛰면서 말했다.

"좋은 생각이긴 한데 이제 어떡해?"

"이-아 여기 무장간첩 5명이 파주에 있다, 지원 바란다."

한 남한군이 쫓아오면서 말했다. 빠르게 우릴 쫓아 왔다.

"어떡하든지 5명 다 살아서 파주를 빠져나갈 순 없어 그러니 한 명이 희생해야 한다."

"무슨 소리요 양상진 동무 그런 소리 하지 마시오"

"그러니 내 말은 내가 남아서 모두 쓸어 버리겠다고."

"아니 되오, 우리 모두 살아남아 귀국할 것이오"

"쓸데없이 모두의 목숨을 낭비하지 마. 그리고 내가 언제 죽는데? 내가 살아남으면 따라갈게"

양상진이 말하고 멈춰 섰다. 양상진이 멈추자마자 남한군 지원이 왔다.

'탕, 탕-탕, 타 다당, 탕, 탕탕, 타다 다당'

"억, 컥, 으악, 아, 컥"

양상진이 총을 쏠 때마다 사람들이 쓰러져 갔다. 하지만 사람은 너무 많았다. 양상진은 용감히 싸웠지만 결국 총을 맞고 쓰러졌다. 우린 파주에서 나오는 것은 성공했다. 하지만 1명을 놓고 와버렸다. 우린 모두 다 슬퍼서 아무 말도 하지 않고 걷고 있었다. 나는 분위기를 바꾸기 위해 말했다.

"우리가 이렇게 슬퍼하면 어떡합니까? 우리의 자랑스러운 동무였던 양상진 동무는 우리들의 목숨을 아끼려고 자기 혼자 전사하였습니다. 그러니 우린 슬퍼하지 말고 고마워해야 합니다."

나는 모두를 멈춰 세우고 말했다.

"맞습니다. 우리 모두 고마워합시다."

제2화 갈등

　우리가 군사정보를 캐러 남쪽으로 내려가는 길에 어떤 집을 발견했다. 그 집은 전쟁으로 피해를 본 것 같았다. 폭격으로 부서진 것 같았고, 그 광경은 정말로 끔찍했다. 그곳 근처에는 한 아이가 있었는데, 그 아이를 보니 굶주려서 말랐었고 가족이 다 죽은 것인지 계속 울기만 했다. 그 아이는 우느라 내가 보는 것을 눈치채지 못했었다. 우리는 그 아이를 잠시 보다가 우리는 모두 생각에 빠져버린 상태로 우리는 조용히 그 민가를 지나치고, 이동하면서 그 민가에 관한 이야기를 한 뒤 의견이 나뉘었다. '남한이 불쌍하다'라는 의견과 '남한이 불쌍하지 않다'라는 의견으로 말이다. 나와 장윤은 남한이 불쌍하다는 의견이었고, 신동팔과 허시정은 남한이 불쌍하지 않다는 의견이었다. 우리는 그 의견들로 서로 대립했다.

허시정은 따지듯이 말했다.

"그러니까 도대체 왜 남한 놈들이 도대체 왜 불쌍하다는 것입니까?"

장윤도 만만치 않게 말했다.

"우리만 피해를 보지 않고, 남한 사람들도 피해를 보았잖아. 안 그래?"

나도 장윤의 이야기에 덧붙었다.

"좀 전에 지나쳤던 곳도 남한이 불쌍하다는 증거 아니냐?"

허시정은 또다시 말했다.

"그 아이를 보고 불쌍하다고 하는 것은 불쌍한 게 아니라 그냥 동정심이 든 거 아닙니까. 그리고 또 모든 남한 놈들이 다 똑같은 처지에 놓인 것도 아니고 말입니다. 만약 좀 전에 지나쳤던 곳이 증거라고 해도 우리들의 조국도 피해를 적게 받거나 피해를 아예 안 받은 것은 아닙니다. 그리고 우리도 전쟁으로 피해를 아예 안 입은 것도 아니잖습니까?"

점점 분위기가 험악해질 때였다. 내가 조금이나마 분위기를 바꾸려 노력해 보았다.

"우리 더 내려가야 하기도 하고 양상진 동무도 죽어서 우리가 내려온 것도 알려진 것이 확실하게 알려졌는데 이 상황에는 이렇게 이야기하면 위험 요소들이랑 고난들이 훨씬 더 늘지 않겠어? 우리가 하는 이야기들이 남한 사람들이 할 만한 이야기는 아니잖아."

"그러면 이야기는 하지 말고 이제마저 이동하는 것이 어떻습니까?"

신동팔이 웃으며 제안했다. 나는 침묵만이 계속되는 상황에서 '앞으로 이런 상황이 계속될 수도 있다'라는 생각이 약간 들었다. 그리고 '남한이 불쌍하지 않다'라는 의견의 생각을 예상해 보았다. '전쟁으로 피해를 크게 받은 것인가? 아니면 남한에 단순히 악감정을 가진 것일 뿐인 건가? 그것도 아니면 남한에서 친구가 포로로 잡혀서? 혹시 국군에게 가족들이 죽어서?' 여러 생각을 하다가 보니 어느새 꽤 왔다. 시간은 대충 6시쯤 되어 보였고 우리도 늦은 시간은 마냥 안전해지지는 않기 때문에 이제 슬슬 자리를 잡아야 할 것 같았다. 내가 정적을 깨고 말했다.

  "동무들 이제 슬슬 이동하는 그것은 그만두고 슬슬 자리를 잡아야 하지 않겠어?"

  "자리를 잡기에는 아직 이른 것 같지 않습니까?"

  "맞습니다."

  "그래, 지금은 아직 이른 것 같은데"

  "그러면 좀 더 걷다가 자리를 잡는 것이 어떠십니까?"

  신동팔이 의견을 제시했고 내가 그 의견을 수긍했다.

  "그래, 좀 더 걷다가 자리를 잡도록 하지."

  나는 원해서 받아들인 것이 아니라 분위기를 보고 받아들인 것이라 조금 미적지근했지만, 일단 좀 더 걸었다.

허시정이 말했다.

"이제 슬슬 자리를 잡는 것이 어떠십니까?"

"저는 동의합니다."

"나도"

"그러면 나도 동의"

내가 그렇게 말한 뒤, 우리는 산에 자리를 잡았고, 우리는 그곳에서 요리를 잘하는 허시정이 요리하지 않고, 간단히 식량을 먹었다. 우리는 먹을 때 위화감을 느낄 정도로 조용하게 먹었는데 아마도 그 이유는 '남한이 불쌍하다'라는 의견과 '남한이 불쌍하지 않다'라는 두 의견의 대립 때문에 그랬던 것 같다. 언제쯤이 어색한 조용함이 없어질까? 그렇게 생각하며 먹다 보니 벌써 이 이 위화감이 들 정도의 조용한 식사를 끝냈다. 허시정을 뺀 그곳에 있던 모든 사람이 이 위화감이 들 정도의 식사를 끝냈다. 허시정도 그 식사를 끝낸 뒤, 우리는 잠자리에 들었다. 어느 정도 잠을 청한 뒤 우리는 새벽에 일어나 마저 이동하였다. 약간은 졸리고, 피곤하지만 졸림과 피곤함을 버티며 계속 이동하였다. 나는 조용하지만, 이 분위기 때문에 졸림과 피곤함을 버틸 수 있는 것 같다. 나는 이 분위기가 도움이 될 줄은 몰랐다. 하지만 졸림과 피곤함을 버티는 데 도움이 되기는 하지만 동시에 어느 정도 긴장을 주기도 한다. 솔직히 안 좋은 점이 더 많기는 하지만 긍정적으로 생각해야 하는 편이 더 나을까? 그렇게 생각하다 보니 자리를 잡았던 곳에서부터 꽤 멀리 왔다. 하지만 시간이 지나도, 꽤 이동했어도 이 분위기는 조금도 바뀌지 않았다. 이 분위기는 대체 언제쯤 나아질까? 나는 의문을 가졌다. 이제 점점 군사정보를 얻을 수 있는 군부대와 가까워지고 있는 것을 느꼈다. 지도를 보니 더욱 실감 되었다. 가까워지니 이제 슬슬 조를 짜는 것이 좋다고 느꼈다. 잠시 멈춘 뒤였다.

"이제 조를 짜는 것이 좋지 않겠는가?"

"좋습니다."

"조를 짠다면 몇인 1조로 짜는 게 나을까?"

"2인 1조가 좋을 거 같은데."

"저는 1인 1조가 더 나을 거로 생각합니다."

"근데 1인 1조는 좀 위험할 것 같은데. 허시정 동무는 어떻게 생각하나?"

"저도 2인 1조가 더 나은 거 같습니다."

"그러면 허시정 동무랑 나로 조 하나를 짜고 리광철 동무랑 신동팔 동무로 한 조를 짜는 게 어떤가?"

"저는 좋은 것 같습니다."

"나도 동의."

"저도 좋습니다."

우리가 모두 동의했다.

"그 전에 이동을 어느 정도 했으니 잠깐 휴식 시간을 가지는 것이 어떤가?"

장윤이 제안했고 우리는 동의했다. 나는 잠깐의 휴식 시간을 가지면서 이번에 2인 1조로 군사정보를 캐면서 이 분위기와 이 상황이 지금 더 조금이라도 나아지기만을 바랐다. 그렇게 생각하다 보니 잠깐의 휴식 시간이 끝나버렸다. 이제 다시 이동해야 한다. 군사정보를 빼 올 각오와 군사정보를 빼 오는 과정을 상상하며 긴장이 동시에 생겼다. 이제 출발을 마저 하였다. 그렇게 가던 중 나와 신동팔이 발이 엉켜서 신동팔이 넘어졌다. 그러니 자연스럽게 우리는 발걸음을 멈췄고, 신동팔이 자신에게 발을 건 것이냐고 말해버릴 듯한 눈빛으로 나를 째려보았다. 신동팔을 자세히 보니 오른쪽 팔꿈치에 피가 조금 나고 있었다. 내가 자세히 보던 중 장윤이 괜찮냐고 물었고, 신동팔은 괜찮다고 답하며 수통에 있던 물로 오른쪽 팔꿈치의 상처를 대충 닦아

내었다. 그리고 장윤이 괜찮냐고 묻는 바람에 괜찮냐고 물을 순
간을 놓쳐버리고 말았다. 그렇게 생각하다 보니 신동팔이 조용
하게 혼잣말로 무언가를 말했다. 신동팔의 혼잣말을 자세히 들
어보았다. 신동팔이 중얼대며 혼잣말하였다.

"신동팔 동무 지금 뭐라고 말했어?"

"그냥 혼잣말입니다."

"너 지금 뭐라고 했냐고? "

"제대로 대답해."

" ········· "

"신동팔 동무 방금 뭐라고 했어? "

" ········· "

"하. "

그렇게 대화가 오고 갔고 상황은 절대로 좋지 않았다. 이대로 가
다가는 싸움이 날 수도 있다는 생각이 잠깐 들었지만, 신동팔이 나
에게 '내가 참아야지'라고 한 것이 계속 머리에 맴돌아서 깊이 생
각하지 않았다. 아니 깊이 생각하지 못했다. 내가 한마디 하려던 때
에 장윤이 상황을 중재시켰고, 애매한 상황으로 변해버렸다. 그때
신동팔이 말을 시작했다.

"저희 그냥 조를 바꿉시다."

"그렇게 하면 다시 짜기도 귀찮고 힘드니까 그냥 이대로 가자."

하지만 장윤이 그렇게 거절했다. 나는 저딴 놈이랑은 조를 같
이 하기 싫었지만, 장윤의 말이 틀리지도 않았고, 트집을 잡을
만하지도 않아서 마음속으로만 생각하고 넘겼다. 신동팔은 딱

봐도 받아들이기 싫어하는 눈치였지만 계급이고 군인이니 울며 겨자 먹기로 아무 말도 안 하고 받아들였다. 솔직히 나는 신동팔의 마음이 어느 정도는 이해가 갔지만 마치 어린아이같이 군다는 생각이 들었다. 마음을 다스리고 생각해 보니 이제 군부대로 들어갈 일과 군부대에서 정보를 빼 와서 돌아가는 일만이 남았다. 그 일들이 잘 풀리면 나의 조국에서 나의 약혼자인 나숙자 씨와 결혼할 것이다. 그렇게 되면 지금 생활보단 훨씬 더 행복하겠지.

이 고난을 잘 넘기기만 하면 되는 것이다. 조국에 관한 생각을 하니 내 가족들도 그리워진다. 나의 조국, 나의 약혼자, 내 가족들, 나의 조국으로 돌아간 뒤의 생활에 관한 생각을 하니 최대한 빠르고 안전하게 일들이 풀리는 걸 바라는 마음이 계속 커지고, 그리워하는 마음들도 매한가지로 계속 커지기만 할 뿐이었다. 이제는 이런 생각들을 많이 할 만한 여유가 생기지 않을 것이다. 그러니 정신 차리고 군부대에 신동팔과 들어가야 한다.

이제 이전에 짜놓은 조대로 나누어졌다. 나와 신동팔, 장윤과 허시정으로 말이다. 이제 서로의 무운을 빌며 헤어졌다. 내가 신동팔을 제외한 사람들에게 중얼거렸다.

"잘하게."

시간대는 새벽 2시쯤이니 군부대에서도 경계가 소홀해져 있을 것이다. 그러니 계획해 놓았던 대로 이동을 시작했다. 긴장이 계속되어서 평소보다 수십 배는 예민해져 있었고, 최악의 경우를 계속 생각하게 되었다. 그건 나만 그런 것이 아니라 신동팔도 그런 것으로 보였다. 오히려 신동팔이 수백 배는 예민해져 있어 보였다. 우리는 최대한 조용하게 다녔고 최대한 이 부대의 군인일 것처럼 이 군부대의 다른 군인에게 발견이 되어도 위장이 되도록 말이다. 그렇게 이동하던 중 신동팔의 얼굴이 이상해 보였다. 나는 설마 했지만, 그것이 맞았다. 재채기였다. 재채기하면 소리 때문에 발각되어 임무에 실패하고 고문을 받아서 정보를 부어야만 하는 상황이 오거나 포로가 되어서 죽는 것이 더 나을 정도의 상황에 놓일 수도 있어서 어떻게라도 신동팔을 말려야 했다. 신동팔이 재채기하려던 때에 신동팔의 코를 잡아서 재채기를 막았다.

그렇게 고난 1개를 넘겼다. 나는 잠깐 신동팔에게 눈치를 준 뒤 다시 임무에 집중했다. 조금 이동하고 난 뒤 더더욱 큰 고난에 봉착했다. 고난은 바로 군부대의 군인을 마주친 것이다.

"충성!"

그 군인은 이등병이었다. 머리카락과 복장을 훑어보니 딱 보였다. 그나마 다행이었다. 나는 이 고난을 타파할 방법을 생각해 냈다. 그 이등병을 툭 쳤다. 이등병이 하늘 날아갈 듯한 목소리로 외쳤다.

"이병 김영호!"

"좀 작게 좀 말해라."

"죄송합니다."

"왜 나왔나?"

"화장실 때문에 나왔습니다."

"야, 오늘의 암구호 뭐야?"

"문어에 자명종 답어에 뭐야?."

"........."

"야, 너 설마 못 외웠냐?"

"그렇습니다."

" . 정신 안 차리냐?! 오늘만 넘어가 주는 줄 알아 다음은 없어."

"죄송합니다!!"

"가던 길, 마저 가."

그 이등병은 나에게 인사를 꾸벅하더니 갔다. 나는 속으로 신동팔이 무능한 놈이라고 생각했지만, 입을 다물고 이동하였다. 드디어 신동팔이 1인분을 할 시간이었다. 나는 망을 보고 신동팔은 정보를 캐기로 했기에 신동팔은 정보를 캐러 이동하고 나는 약간의 거리를 두고 신동팔을 따라서 이동했다.

도착하고 난 뒤 신동팔이 정보를 캐는 중에는 다행히 고난이 없는 줄 알았다. 캐는 중에는 고난이 없긴 했다. 하지만 다 캐고 나오던 순간 신동팔이 넘어졌다. 어찌할 수 없을 정도로 너무 순식간에 일이 벌어져서 대처하지 못했다. 내가 들을 것은 신동팔이 넘어진 소리뿐만이 아니라 어떤 사람이 걸어오는 소리도 들었다. 나는 그 상황에서 생각을 깊게 할 수 없었지만 하나의 행동을 생각해 냈다. 나는 그 상황에서 생각해 낸 것은 바로 아주 간단하고 본능적이었다. 그 생각은 바로 최대한 빠르게 도망치는 것이다. 나는 넘어진 신동팔을 바로 세우고, 나의 모든 힘을 최대한 빠르게 도망치는 것에 집중하였다.

"어이! 거기 있는 놈 멈춰!"

그 목소리가 들린 후 발소리가 점점 꽤 빨라진 것을 느끼게 되자 사람이 뛰어오는 걸 알게 되었고, 안 그래도 빠른데 나의 한계 그 이상의 속도를 올려야 했다. 그렇게 뛰니 뒤쫓아 오는 사람도 무언가 이상함을 느낀 것 같았다.

"내가 달리기는 느리지 않은데. 왜 이렇게 빠른 거지?"

그렇게 추격전을 펼치다가 생활관을 지날 때 고난이 하나 더 생겼다.

"야! 기상!! 간첩들이 들어온 것 같다! 다 일어나서 저놈들 잡아!"

그러자 생활관에서 군인들이 나오기 시작했다. 마치 꼴이 사냥개들이 멧돼지를 사냥하는 그것으로 보였다. 일단 신동팔과 나는 한계 이상으로 달리다가 겨우겨우 군부대에서 나오게 되었다.

군부대에서 나온 뒤 인근의 산속으로 몸을 숨겼다. 그 상황에서 신동팔은 겨우겨우 쫓아와서 힘들어 보이는 얼굴로 헉헉거리고 있었다.

"신동팔 저 무능한 놈….."

나는 나도 모르게 혼잣말을 해버렸다. 나는 신동팔의 얼굴을 훑어보니 그 혼잣말을 들어버린 것 같았다. 왜냐하면, 신동팔의 표정이 좋지 못하였기 때문이다. 우리에게는 조금의 침묵이 흘렀다. 조금의 시간이었지만 우리에게는 5시간처럼 느껴졌다.

"만나기로 한 장소로 이동할까?"

내가 침묵을 깨버리고 말했다.

"예."

그렇게 이동하니 당연하게도 장윤과 허시정은 없었다. 약 20분간 기다리니 장윤과 허시정이 왔다. 둘을 훑어보니 급하게 뛰어서 온 듯했다.

"무슨 일이 있던 거야?"

"정보를 캐고 신동팔 동무가 나오다가 넘어져서 군인들에게 발각됐었어."

"하….."

장윤은 신동팔을 뚫어져라 쳐다보았다. 그 상황에서 그 누구라도 신동팔을 좋게 보기는 쉽지 않을 것이다.

"그러면 좀 더 먼 곳으로 떠나야 할 것 같아."

내가 의견을 냈다. 그곳에 있던 모두가 동의했고 우리는 그곳을 떠났다. 신동팔 때문에 그곳의 군인들이 우리가 남한에 왔다는 것을 알게 되었으니, 우리는 훨씬 더 위험해진 것이다. 우리는 어느 정도 이동한 뒤 휴식 시간을 갖기로 했다. 장윤과 나는 여러 이야기를 하다가 신동팔의 이야기가 나왔다.

"솔직히 신동팔 동무 때문에 더 위험해졌잖아."

"욕먹을 짓 하긴 했지!"

"솔직히 나는 사과는 해야 한다고 생각하긴 해."

그리고 근처를 보니 신동팔이 있었다. 표정을 보니 조금 전의 대화를 들었던 것으로 보였다. 상황이 좋지 않았다. 임무 전에 있었던 갈등 때문에 상황은 더더욱 나빠졌다.

"사과할까요?"

신동팔은 매우 어이없다는 듯한 목소리로 말하였다…. 우리는 매우 당황했다. 그리고 신동팔은 한숨을 짧게 내뱉었다. 순간 나의 머리에서 생각이 나지 않았다.

"아휴…."

"뭐야?, 너 방금 한숨 쉬었냐?"

"네, 조금 전에 한숨 쉬었습니다"

"너는 뭐 그렇게 당당하냐?"

"시비를 걸 만한 거는 아니지 않습니까? 그리고 리광철 동무가 오히려 당당할 만한 행동을 계속하시지는 아니하지 않았습니까?"

"뭐? 너 때문에 임무 실패할 뻔한 거 내가 대처해서 성공했잖아!"

"제가 넘어지고 싶어서 넘어졌습니까? 그리고 제가 정보 캤잖습니까, 더 아니었으면 임무 하지도 못했습니다! 저랑 생각도 정반대고, 저는 처음부터 리광철 동무 마음에 안 들었습니다!"

"그러면 누구는 마음에 든 줄 알아!"

"워워 둘 다 진정해. 지금 너무 흥분했어."

"장윤 동무, 일단 우리끼리 이야기는 언젠가는 어차피 해야 해."

"하⋯."

한숨을 내쉰 뒤에 장윤은 어디론가 뛰어갔었다.

"난 애초에 남한 놈들이 불쌍하다고 느끼는 거 자체가 이해가 안 됐단 말입니다!"

"그러는 신동팔 동무는 왜 남한 사람들이 왜 불쌍하지 않다고 생각하는 이유가 뭐야?!"

"그렇게 배웠으니 그러는 겁니다!"

"남한도 힘들었고, 고통받았어."

"그렇게 생각하는 리광철 동무는 남한에서 사람 도우면서 살지, 왜 북한에서 군인으로 사는 것입니까?"

"우리들의 조국을 버릴 수는 없잖아."

"우리들의 조국을 버릴 수는 없다면서 왜 그렇게 생각하냐는 겁니다."

"뭐?"

"말이 서로 안 통하는 것 같은데, 그냥 계급장 떼고, 싸워야 하는 겁니까?"

"그렇게 해봐?"

"야! 그만 싸워!"

"야, 허시정! 쟤 좀 잡아!"

장윤이 허시정에게 신동팔을 잡으라고 시킨 뒤 나를 끌고 갔다. 나를 끌어 옮긴 뒤 왜 그렇게 싸웠냐고 물어보았다.

"신동팔 동무랑 나는 생각부터 정반대야. 나는 남한이 불쌍하다고 생각하고 걔는 남한이 불쌍하지 않다고 생각하잖아, 그리고 임무 중에 신동팔 동무가 재채기할 뻔한 것도 내가 겨우겨우 막았고 군인도 만났을 때도 내가 그 군부대의 군인 인척 연기해서 넘겼고 정보를 다 캐고 신동팔 동무가 넘어졌을 때도 도망을 칠 곳을 전력으로 질주하면서 어떻게든 찾았는데 신동팔 동무는 그걸 고맙게 생각하지도 않고 너무 당연하게 생각한다고."

"흠…. 그러면 네가 신동팔 동무를 이해하려고 최대한 노력을 해봐."

"한번 그렇게 해볼게."

신동팔이 어떨지 생각해 봤지만 조금 했다가 '엄청 급한 건 아니지 지금 말고 나중에 한 번 제대로 생각해 봐야지.'라는 생각이 들어 그만두었다. 나중에 제대로 다시 이야기해 봐야겠다고 생각만 대충 하였다.

"야, 뭐라도 먹으러 갈래?"

"뭐 먹으러 가게? 식당도 이 근처에 없을 거고 이 근처에 식당이 있다고 해도 지금 우리들의 신분으로는 사서 먹는 거는 불가능하잖아?"

"여기에서 조금 더 가다 보면 밭 같은 것도 나올 수도 있고 안 나오면 산이라도 뒤져봐야지."

"그러니까 서리하거나 산을 뒤지자고?"

"응."

"으아 으음, 그러면 서리하거나 산 뒤져서 나온 거로 저녁을 때워버리자."

"이제 일어나자."

"그래."

나와 장윤은 일어나서 산을 벗어나서 밭이 없나 둘러보아야 했다.

"어때, 좀 보여?"

"아니."

"그러면 돌아다니면서 찾자!"

"그러자."

20분에서 30분 정도 찾는지 보니 밭이 하나 있었다. 그래서 장윤과 가위바위보를 하여 누가 망을 보고 누가 서리할 것 인지 하는 역할들을 이긴 사람이 정하기로 하었다.

"가위바위보!"

장윤과 나 둘 다 주먹을 내어 첫 번째는 비겼다. 그러다 보니 긴장감은 대여섯 배 정도 올랐다.

"가위바위보!"

"아…."

나는 주먹을 냈고 장윤은 가위를 냈다. 내가 이겼다. 나는 잠시 고민하다가 내가 망을 보는 역할을 하고 장윤이 서리를 하는 역할로 정했다.

"잘 부탁하겠습니다, 장윤 동무."

장윤이 서리를 어느 정도 한 시점에서 무언가 보였다.

"동무, 저거 멧돼지 아니야?!"

우리는 서리를 조금 한 것을 품에 안고 도망쳤다. 우리는 서리해 온 거들을 놓아보니 양이 얼마 되지 않았다.

"작은 거는 왜 서리 한 거야?"

"마음이 급해져서 뽑았던 거 같아."

"오늘은 저녁을 이걸로 때워야 하겠어."

"그러게."

하늘을 보니 확실히 밤이었다. 빠르게 서리를 해온 무들을 먹고 잠을 청해야겠다고 생각하였다. 다음 날 아침, 이동은 여기에서 멈추자는 이야기를 장윤과 하고 난 뒤, 허시정을 불러 달라고 장윤에게 부탁했다. 몇 분 뒤 허시정이 왔다. 나는 허시정과 둘이서만 이야기하기 위하여 이동했다.

"신동팔 동무는 어때?"

"진정되셨습니다."

"음⋯. 너는 하고 싶은 말 있냐?"

"솔직히 저는 리광철 동무가 아시는 것과 같이 남한의 사람들에 관한 의견이 신동팔 동무와 거의 비슷한 편입니다. 남한이 불쌍하지 않다고 생각합니다. 하지만 임무 관련된 일들은 다릅니다. 신동팔 동무의 잘못이 크다고 생각합니다."

"그래? 일단 이제 이동은 여기에서 슬슬 멈추고 조금 더 휴식을 취하다가 우리 기지로 돌아가는 게 어때?"

"좋습니다."

"그러면 신동팔 동무한테도 전해줘."

"네!"

나중에 신동팔이 준비되면 제대로 이야기를 해봐야겠다고 결심하였다. 나는 나를 되돌아보기로 하였다. 그러나 갑자기 다른 생각이 잠깐 들었다. 그 생각은 만약에 주먹 다툼까지 일어났으면 이런 생각을 하지 않고 복수 같은 것이나 생각하고 있을지도 모른다는 생각이었다. 그런 생각은 잠시 접고 하기로 하였던 되돌아보는 것을 다시 시작하였다. 내가 뒷말한 것은 신동팔이 충분히 한숨을 쉬게 할 만한 행동이긴 했다. 그만큼 매우 얼간이 같은 짓이었다. 내가 다시 생각해 보니 내가 매우 얼간이 같은 짓을 한 것이 뼈저리게 느껴져서 꽤 크게 후회가 되고, 수치심이 느껴지고, 신동팔에게 미안한 마음까지도 들었다.

하지만 그와 동시에 하나 이상한 생각이 떠오르기 시작했다. 신동팔은 나와 반대로 나를 증오하고, 복수를 계획하고 있을 수도 있다는 생각이었다. 그러자 나는 조금 전에 하였던 생각들이 시간 낭비일지도 모른다는 생각도 뒤따라왔고, 그 생각에도 똑같이 뒤따라온 생각도 있었다. 그 생각을 또 따라온 생각이 생겼다. 계속 그렇게 생각들은 꼬리의 꼬리를 물게 되었다. 그러다 보니 머리가 너무 아파졌다. 생각을 잠시라도 멈춰야겠다. 왜냐하면, 조금이라도 더 하면 미쳐버릴 것 같았기 때문이다.

"후…. 어느새 꽤 어두워졌네."

나는 짧게 혼잣말을 내뱉은 뒤 혼란했었던 마음을 대충 정리하였다. 대충 저녁을 때우고 피곤한 몸을 이끌고 잠을 청하였다. 개운하게 기지개를 한번 켜고, 허시정과 이야기하러 움직였다. 조금 움직이니 가볍게 산책하고 있던 거 같은 허시정을 만나게 되었다.

"좋은 아침입니다, 리광철 동무."

"응, 좋은 아침. 근데 신동팔은 어때? 나랑 만나도 괜찮을 거 같아? 뭐 나를 싫어한다거나 하는 느낌 같은 거는 없고? 그것도 아니면 나랑 만나고 싶어 해? 조금 전에 말했던 거 전부 다 아니면 도대체 뭐 특별한 거는 없어?"

"그런 거는 딱히 없고 신동팔 동무를 지금 바로 만나는 것은 자고 있어서 좀 그럴 거 같습니다. 그리고 잠에서 일어나려면 시간이 좀 지나야 할 겁니다. 그러니까 신동팔 동무 일어나면 제가 리광철 동무랑 만나는 거 어떠냐고 물어보겠습니다. 싫다고 하시면 제가 최대한 설득은 해보겠습니다. 남는 시간 동안 아침 안 드셨으면 아침 드시는 게 어떻습니까?"

"그래, 아침이나 먹으면서 기다려야겠다. 그러면 잘 부탁하네, 허시정 동무."

"네!"

나는 말했던 것과 똑같이 아침을 먹은 뒤 느긋하게 기다렸다

그러다 보니 허시정이 왔다.

"신동팔은 어때?"

"......지금은 조금 그렇고 오후에 만나겠답니다. 제가 최대한

설득하려고 노력은 해봤는데 지금은 절대 안 되겠다고 해서서."

"괜찮아, 그럴 수도 있지. 오히려 조금 더 생각할 시간 생겨서 좋은데. 그래도 노력해 줘서 고맙네, 허시정 동무."

허시정은 그 말을 들은 뒤 신동팔이 있는 곳으로 이동했다. 나는 남은 시간을 생각하는 데 써야겠다고 다짐하였다. 나는 생각에 빠지기 시작하였다. '신동팔과 만나면 어떻게 되려나?'라는 생각에 말이다. 나는 서너 개의 여러 상황을 떠올려 보았다. 첫 번째 상황은 만난 뒤 신동팔과 잘 화해하는 것이다. 두 번째는 만난 뒤에도 계속 어색하게 지내는 것이다. 세 번째는 이야기를 다시 하다가 다시 싸우는 것이다. 솔직히 나의 마음은 첫 번째 상황대로 흘러가길 원하였다. 그러던 중 허시정이 와서 이야기를 꺼냈다.

"리광철 동무, 지금 만나시는 거 어떠십니까?"

"지금?"

"네."

"뭐, 나야 빠를수록 좋지."

"그러면 신동팔 동무 데려오겠습니다."

"응."

그렇게 대화는 끝났다. 조금의 기다림이 끝나고 허시정은 신동팔을 데리고 왔다.

"리광철 동무, 저번에는 제가 너무 예의 없이 굴었던 거 같습니다. 정말 죄송합니다."

의외였다. 나는 내가 먼저 이야기를 꺼내야 할 거 같았는데 신동팔이 먼저 이야기를 꺼내다니.

"내가 더 미안하고 죄송하네. 내가 되돌아보니 저번에는 내가 너무 어린아이같이 대처하고 말했던 거 같더라고."

"아닙니다. 재채기하려던 거랑 이등병 만났을 때 그쪽 군인 인천 연기해서 겨우겨우 넘기신 거에 고마워했어야 했는데 오히려 적반하장 했잖습니까."

"나도 신동팔 동무 뒷말하지 않았나."

"저도 리광철 동무 욕했으니까, 업보라고 생각하고 넘겨야죠."

"그때는 나도 걸려고 한 게 아녔는데 어쩌다 보니 그렇게 됐었어."

"그때는 제가 너무 예민하게 반응했었던 거 같습니다."

"괜찮아, 있었던 일들은 지나간 일로 치면 돼."

"그러면 그전에 서로 싸웠던 일, 욕했던 일, 뒷말을 한일 전부 지나간 일로 한 뒤 서로 들먹이지 않고 지내는 게 어떠십니까?"

"좋지, 그렇게 하고 잘 지내게 하자고."

"네. 아, 허시정 동무도 우리 말 계속 전달해 줘서 고마웠어."

우리는 그렇게 서로 화해를 한 뒤 다른 이야기로 넘어갔다.

"신동팔 동무, 근데 내일 기지로 떠나는 게 어때?"

"괜찮을 거 같습니다. 그러면 내일 떠나는 거로 장윤 동무한테도 전할까요?"

"네가 대신 전해주면 좋지."

"그러면 제가 전하겠습니다."

"그래."

그렇게 되어 내일 기지로 떠나는 것이 확정되었다. 내일은 길게 이동해야 할 것이기 때문에 일찍 잤다. 기지개를 켜며 일어나니 새벽이었다. 나는 흔적을 간단하게 없앴다. 쓰레기들을 땅에 묻고, 내가 잤던 곳은 나뭇잎으로 대충 덮었다. 지금쯤 출발하면 편하게 기지로 도착할 수 있을 것이기에 신동팔, 장윤, 허시정을 깨워야겠다고 생각한 뒤 실행으로 옮겼다. 일단 장윤을 찾았는데 장윤도 이미 깨어 있었다.

"야, 신동팔이랑 허시정 깨우러 가자."

"그래."

장윤은 하품하며 답하였고 장윤과 나는 허시정과 신동팔을 깨우러 출발했다.

"야, 일어나."

신동팔과 허시정은 기지개를 켜며 일어났다.

"어제 짐은 다 쌌나?"

"대충 싸놔서 조금만 더 챙기면 됩니다."

"그러면 빨리 싸."

"네."

기지로 가는 것은 빠를수록 좋기에 재촉을 좀 하게 되었다. 곧 있으면 돌아간다는 것을 생각하느냐고 마음이 급해진 탓이었다. 돌아가서 할 일들을 생각하니 자연스레 미소가 지어졌다. 나숙자, 씨와 결혼하고 가족들을 만나는 일 그것만을 바라보고 버텼다. 그 일이 일어나는 게 얼마 남지 않은 것이 실감 났다. 그렇게 미소를 짓는지 보니 신동팔이 말했다.

"다 썼습니다."

"그럼 출발하자."

우리는 천천히 움직였다. 우리는 드디어 철원 근처에 있는 기지로 돌아간다. 이제 임무가 끝나가는 것이 느껴졌다. 우리가 이동한 지 약 3시간이 지나자, 내가 이야기를 꺼냈다.

"장윤, 일어나서 뭐 하고 있었어?"

"뭐. 하늘이나 보면서 생각하고 있었지."

"왜?"

"오늘따라 하늘이 고운 거 같아서 생각에 잠기게 돼버렸어."

"뭔 생각 하고 있었는데?"

"가족 생각."

장윤도 나와 비슷하게 임무가 끝나가는 것이 느껴진 것 같다. 괜히 하늘을 바라보게 되었다. 우리는 그렇게 이야기를 끝고 더 걷다 보니 드디어 기지로 도착하게 되었다.

　나는 간첩입니다.

제3장 배신

"리광철 동무, 밥 먹읍시다."

허시정 동무가 말했다.

"장윤 동무도 같이 오시고요."

"동팔 동무는 어디 갔습니까?"

내가 말했다.

"장윤 동무, 그쪽은 뭐 본 것 없습니까"

장윤 동무가 말했다.

"네, 그렇습니다."

그때였다.

"끼이이익"

현관문 열리는 소리가 나고 신동팔 동무가 들어왔다.

"아니, 밖에 나갈 거면 어디 간다, 말해야 할 것 아닙니까."

"그렇게 나돌다가 잡히면 어떡할게요?"

신동팔 동무가 말했다.

"아예, 뭐 이 동네 뒷조사 좀 하고 왔습니다."

"뭐 좀 알아보려 했건만 딱히 효과가 없더라고요."

"밤, 앞으로는 딴 길로 새지 마시고요, 빨리 밥 먹고 김정운 위원장님께 연락합시다."

내가 툴툴거리며 말했다.

장윤 동무가 위원장님께 연락했다.

"거기 교환원, 빨리 위원장님께 전화하시오."

몇 초 후, 김정운 위원장님께서 전화를 받으셨다.

"그래, 어제는 뭐 큰 소득이 있었느냐?"

위원장님께서 말씀하셨다. 신동팔 동무가 잽싸게 말하기 시작했다.

"네, 그렇습니다."

"저희가 어제 대한민국의 남은 군사 요충지를 정찰해 보았는데 말입니다, 거의 모든 무기가 파괴되어 있음을 알 수 있었습니다."

위원장님께서 말씀하셨다.

"그래, 잘했다, 오늘은 뭘 할 생각이냐?"

"오늘은 이 동네를 포함한 몇몇 동네에 가서 주민들이 어떤 환경으로 생활하는지, 현재 남아있는 군사들은 없는지 알아볼 생각입니다."

허시정 동무가 힘차게 말했다.

"그래 수고해라."

그렇게 전화는 끊어졌다.

장윤 동무가 세차게 말했다.

"이제 출발합시다"

출발 준비를 시작했다. 혹시 모를 상황을 대비해 각자 배낭에 권총 두 정, 탄약통 한 통을 넣었다.

그렇게 출발했다. 동네 상황은 말이 아니었다. 풀뿌리 하나를 경쟁하는 사람들이 한둘이 아니었으며, 사람들의 얼굴은 해골에 가까웠다.

신동팔 동무가 주변을 휘휘 둘러보며 말했다.

"하이고, 동네 풍경이 이게 뭔가?"

그때였다.

"저기 북한에서 간첩 같은데?"

누군가 말했다.

"너희 진짜 뭐 하는 인간들이야, 너희 때문에 우리 몰골이 이 게 뭐냐고?"

그러고는 다짐으로 도망치나 싶더니 다들 칼을 들고 뛰어나왔 다. 우리는 그제야 위험 상황임을 알아차렸다. 다 배낭을 확 열 어젖히고 권총을 꺼냈다. 북한 간첩들 사이에서 최고로 통하는 신동팔 동무가 먼저 사격을 시작했다.

"탕! 탕! 탕!"

권총 소리가 연이어 울려 퍼졌고 사람들이 한둘씩 쓰러지기 시작했다. 나도 그제야 사격을 시작했다.

"탕 탕 탕"

소리가 몇 번 울리더니 사람들이 거의 다 쓰러지고 남은 한두 명은 줄행랑을 쳤다. 그 한두 명을 쫓아가려는 장윤 동무를 신동팔 동무가 막았다.

"아니요, 저들은 그냥 살려줍시다."

장윤 동무는 입이 뒤틀리면서도 그의 말을 수긍하였다.

그렇게 우리는 다시 출발하였다. 계속해서 걷다가 그 동네에서 그나마 상태가 괜찮아 보이는 기와집을 향하였다. 내가 문고리를 돌리자, 끽소리가 나더니 문이 열렸다.

안에는 남자 하나와 여자 둘이 있었다. 그중 남자가 우리를 발견하고 외마디 비명을 질렀다.

"당신들은 도대체 누구에 남의 집에 무단 침입하는 거요?"

그 남자가 떨리는 목소리로 말하였다.

신동팔 동무가 기와집을 향해 총을 한번 쏘고 말을 시작했다.

"우리는 군인들이요, 우리가 하라는 대로 순순히 따르지 않으면 이 집이 날아갈게요."

신동팔 동무가 남자의 머리를 향해 총을 겨누었다.

"자, 이제 이 동네에 대해서 좀 말해보시오."

남자가 말하기 시작했다.

"이 동네는 한국전쟁 전에는 그저 평범한 동네였소, 하지만 한국전쟁 이후 동네의 절반이 파괴되면서 지금의 초라한 상황이 발생해 버린 거요."

"혹시 이 동네에 군인들이 왔다 간 적 있소?"

남자가 또 말하기 시작했다.

"그렇소, 전쟁 끝나고 몇 달 후에 군사들이 갑자기 우리 동네에 찾아왔소, 그러더니 몇 군데 둘러보고 주민들은 거들떠보지도 않고 그냥 갔다오"

"알겠소, 우린 이제 가보겠다오, 며칠 뒤 찾아올 테니 그동안 벌어진 일들에 대해서 순순히 털어놓으시오."

신동팔 동무가 말했다.

"알았소"

우리는 그렇게 그 집을 나왔다. 집을 나온 후 한참을 걸었을 즈음, 저 멀리 불빛이 보였다. 주위를 둘러보았더니 아까의 동네와는 거리가 좀 있는 것 같았다.

"저기 뭔가 좀 수상한 것 같소, 저기로 가봅시다."

내가 말했다. 조용히 불빛 근처의 둑에 올라탔다.

과연 거기에서는 군사들이 많이 보였다. 둑을 몰래 넘어 옆쪽 표지판을 보니 군사 보급지라고 쓰여 있었다.

허시정 동무가 작게 말했다.

"저기로 몰래 잠입해서 남한 군사들의 정보를 좀 알아내 봅시다. 지금 시간도 밤 아홉 시이니 잠입하기도 딱 좋은 시간입니다.

나도 굳세게 말했다.

"그렇게 합시다."

우리는 신동팔 동무를 선두로 둑 방향으로 돌아 보급지인 듯한 건물을 향해 달렸다. 얼핏 보니 군사들 수가 제법 많았다.

훈련된 북한 간첩 네 명이 상대하기는 턱없이 무리수였다.

신동팔 동무가 소곤거리며 말했다.

"우리 넷이 상대하는 것은 불가능하니 최태한 안 보이게 돌아갑시다."

건물은 전체가 먼지로 뒤덮여 많이 칙칙했다. 그 앞에는 거의 쓰러져 가는 수준의 <군사 보급지>라는 표지판이 세워져 있었다.

장윤 동무가 속삭였다.

"다들 권총에 소음기 끼우시오."

잠입 도중 총소리가 들리면 곤란한 상황이 발생할 수 있기에 우리는 다 총에 소음기를 끼웠다.

"이제 들어갑시다."

신동팔 동무가 말했다. 건물 내부는 아주 어둡고 형편없었다. 끝이 보이지 않는 기다란 벽돌 통로 사이에는 커다란 짐가방들이 방치되어 있었다. 짐가방들 사이사이에는 방문이 있었고 방마다 숫자 푯말이 붙어 있었다.

첫 번째 방에는 1번 방이라고 붙어 있었다. 안에서 두런두런 말소리가 들렸다. 그런데 남한말이 아니었다. 그 말소리의 전체는 바로 영어였다. 우리 간첩단에는 영어 소통 가능자가 단 1명, 장윤 동무밖에 없었다.

"장윤 동무, 저들은 뭐라고 말하는 거요?"

내가 말했다.

장윤 동무가 말했다.

"모르겠습니다, 저들의 말을 알아들으려면 최소 방 안에 들어가 봐야 합니다."

"그러면 들어갑시다."

신동팔 동무가 아무 일도 아니라는 듯 말했다.

"그게 말이 된다고 생각합니까?"

"이건 너무 무모해요, 그 많은 방 중에서 한 방을 통과하기 위해 위험을 무릅써야 합니다."

허시정 동무가 말했다.

"그러면 어떡할 거요?"

내가 말했다.

허시정 동무가 말했다.

"우리에게 최대한 손해가 안 가면서 이득을 볼 수 있게 해야합니다."

"일단, 이 가방부터 확인해 봅시다."

신동팔 동무가 말했다.

"그래야 이 보급지에 대해 감을 잡을 수 있어요."

장윤 동무가 짐가방 쪽으로 달려갔다.

신동팔 동무가 작게 외쳤다.

"소리 안 나게 하세요."

장윤 동무가 조용히 가방을 열었다.

과연 안에는 각종 무전기와 권총 그리고 서류 뭉치가 있었다. 내가 말했다.

"그중에는 서류들이 가장 영향력 있을 것 같습니다."

신동팔 동무가 말했다.

"그런 것 같습니다."

허시정 동무도 그쪽으로 달려가 서류 뭉치를 치켜들었다.

"거기에 뭐가 있소?"

신동팔 동무가 말했다.

허시정 동무가 말했다.

"무기 보고서와 국가 상태 보고서입니다."

신동팔 동무가 말했다.

"이리 줘 보시오."

내용은 이랬다.

	서울	부산	대전	평택	수원
장갑차	5	6	8	8	4
상태	최악	최악	나쁨	나쁨	나쁨
전투기	2	3	5	7	3

처참했다. 우리 인민군들이 파괴한 결과였다.

정적이었다. 아무도 말하지 않았다. 그때, 신동팔 동무가 말했다.

"괜히 그러지 말고, 두 번째 가방 열어 봅시다."

내가 얼른 달려가 가방을 열었다. 하지만 열리지 않았다.

그동안, 신동팔 동무와 장윤 동무도 따라왔다. 허시정 동무는 한구석에 말없이 앉아 있었다.

가방은 가느다란 쇠사슬로 봉인되어 있었다. 우리는 천천히 쇠사슬을 풀었다.

쇠사슬과 갈고리가 풀리자, 가방은 그제야 열렸다. 안에는 대한민국 요원들과 군사들의 신분증이 들어 있었다. 신동팔 동무와 나는 신분증을 뚫어져라 쳐다보았다. 신분증에 쓰여있는 사람들은 대부분 일병 또는 상병들이었다.

게다가 몇몇 사람들의 신분증에는 전사라고 쓰인 빨간 딱지가 붙어 있었다. 그런데 신동팔 동무가 갑자기 말했다.

"저기 이상한 통로가 있소."

두 번째 가방 옆쪽에는 뻥 뚫린 꽤 큰 통로가 있었다.

우리는 허시정 동무를 불러 같이 그 통로로 들어갔다.

처음에는 기어가야 하는 수준이었다. 하지만 갈수록 통로가 아래쪽으로 내려가면서 커졌다. 쭉 들어갔더니 동그란 문이 나왔다.

신동팔 동무가 쇠갈고리를 돌려 문을 열려는 순간, 끽소리가 났다. 안에서 인기척을 느낀 군사들이 하나둘 나오기 시작했다. 신동팔 동무가 외쳤다.

"도망쳐!"

가장 뒤에 있던 허시정 동무가 재빨리 도망치기 시작했다.

장윤 동무가 그 뒤를 이었다. 뒤에는 군사들이 재빨리 따라오고 있었다.

누군가 외쳤다.

"당장 잡아."

그러면서 계속 소리를 질렀다.

가장 뒤인 신동팔 동무와 한국군의 격차는 살짝 벌어져 있었다. 계속 가는지 보니 입구가 보였다. 겨우 나왔더니 남한군들도 서서히 나오고 있었다.

"빨리 뜁시다."

신동팔 동무가 외쳤다.

우리는 앞만 보고 계속 뛰었다. 남한군들이 쫓아오는데 중간중간 영어가 들렸다. 미군도 있었다.

계속 뛰다가 오른쪽으로 한번 틀었더니 남한군들과 미군이 보이지 않았다.

그런데 허시정 동무가 보이지 않았다.

장윤 동무가 본 상황은 이랬다. 허시정 동무는 선두로 가다가 계속 앞으로만 갔고, 두 번째 장윤 동무는 그것을 못 보고 오른쪽으로 방향을 튼 것이었다.

그렇다면 허시정 동무는 남한군에게 쫓기고 있을 것이 분명했다. 신동팔 동무가 말했다.

"어서 가봅시다."

남한군과 미군은 코빼기도 보이지 않았다. 모두가 어디로 가야 할지 감조차 잡지 못했다. 우리는 결국 보급용 건물을 계속 배회하기만 했다. 그때, 굉장한 비명이 들렸다. 허시정 동무의 목소리였다.

"아아 아악!"

누군가가 비명을 질렀다.

우리 세 명은 단체로 뛰었다. 방향도 잡지 않는 막무가내였다.

하지만 아무도 보이지 않았다.

그때였다,

"저기 누군가 있소."

신동팔 동무가 외쳤다.

벽에 붙어서 몰래 보니 허시정 동무가 군인들 사이에 싸여 있었다. 아무 무기도 갖지 않고 있었다.

힘없이 앉아서 계속 맞고 있는 것이었다.

신동팔 동무가 수신호를 전달했다. 북한에서 늘 쓰던 것이었다.

그 신호는 '바로 공격 들어가자'라는 용어였다.

가장 앞에 있던 내가 3, 2, 1을 손으로 하고.

"가자!"라고 외쳤다.

남한군과 미군이 뒤를 돌아보는 순간, 우리는 소총으로 공격을 시작했다. 5명의 군인도 총을 쥐어 들기 시작했다.

"탕 탕 탕"

양쪽에서 총소리가 울려 퍼졌다.

하지만 모두가 날렵했던 바람에 아무도 총에 맞지 않았다.

수적 열세 탓에 기세가 계속해서 남한군 쪽으로 넘어가자, 우리 세 명은 후퇴하기 시작했다. 피범벅인 허시정 동무가 머릿속에서 아른거렸지만, 후퇴를 거듭할 수밖에 없었다.

또 뛰어서 한국군에게 보이지 않는 곳으로 도망치자, 그제야 우리는 숨을 고를 수 있었다.

신동팔 동무가 말했다.

"이제 한 번 또 싸워봅시다."

우리는 발소리 없이 소총으로 무장한 채 나아갔다. 아직 군인들이 나타나지는 않았다. 우리는 사방을 살피며 걸어갔다.

그때였다. 군인 한 명이 갑자기 튀어나왔다.

앞서가던 장윤 동무가 바로 소총으로 사격했다.

"탕"

"잘했소, 또 그렇게 해봅시다."

신동팔 동무가 말했다.

우리는 아까 허시정 동무가 있었던 곳으로 소리 없이 걸어갔다.

생각보다 빨리 그곳에 도달할 수 있었다.

"허시정 동무!"

장윤 동무가 작게 외쳤다. 허시정 동무가 위를 올려다보았다. 얼굴이 핏기 없이 수척해져 있었다.

우리는 다 같이 달려가서 허시정 동무를 부축했다.

그때, 내가 뒤를 돌아보니 남한군과 미군이 달려오고 있었다. 신동팔 동무와 내가 즉시 소총으로 사격을 시작했다. 달려오던 군인 5명 중 3명이 쓰러졌다. 두 명은 아직 우리와 혈투를 벌이고 있었다. 내가 쏜 총에 한 명이 맞고, 나머지 한 명은 신동팔 동무의 총에 맞아 혈투는 그제야 끝이 났다. 허시정 동무는 다행히 무사했다. 피를 많이 흘렸기는 했지만 그래도 괜찮았다. 숨소리가 아주 잘 들렸다.

신동팔 동무가 말했다.

"이제 또 가봅시다."

우리는 또 슬슬 이동하기 시작했다. 목적은 없었다. 계속해서 걸었다. 하지만 아무것도 발견되지 않았다.

모두가 서서히 지쳐가고 있었다.

장윤 동무가 말했다.

"조금만 쉬었다 갑시다."

우리는 바닥에 앉아 조금 쉬었다 가기로 하였다.

바닥과 벽은 매우 더러웠다. 십 년간 관리가 되지 않은 수준의 곰팡이와 때가 덕지덕지 붙어 있었다. 그때였다.

"화광!"

무언가 육중한 것이 쓰러지는 소리가 들렸다. 그리고 폭발음도 같이 들렸다.

남한군과 미군이 무언가를 폭파하게 시킨 것이 틀림없었다. 건물에 갑자기 경보음이 울렸다.

"긴급상황입니다!"

"방금, 이 건물에 침입자가 잠입했다는 정보가 입수되었습니다, 수상한 사람이 보이면 그 즉시 사살하기를 바랍니다."

신동팔 동무가 말했다.

"우리 이야기인가 봅니다."

"빨리 갑시다."

우리는 뛰었다. 어디인지도 모르고 뛰었다. 아픈 몸을 이끌고 뛰었다. 그때였다. 뒤에서 누군가 뛰어오는 발소리가 들렸다. 그런데 발소리가 제법 많이 들렸다.

"타다닥!"

우리는 어느 때보다도 힘차게 달리기 시작했다. 북한 훈련소에서 보다도 말이다. 그런데 간격은 계속 좁혀졌다.

"탕! 탕! 탕!"

소총 사격 소리가 들렸다. 우리는 앞만 보고 뛰며 제발 누구도 총에 맞지 않길 빌었다. 다행히 아무도 총에 맞지 않은 듯했다. 우리는 뛰었다. 앞만 보고 뛰었다. 뒤도 안 보고 뛰었다. 쉼 없이 뛰었더니 남한군은 보이지 않았다. 간첩 4인방은 다 함께 쓰러졌다, 우리의 체력이 이 정도였나 경이로웠다. 북한 간첩 훈련소에서 훈련받을 때보다 훨씬 더 힘들었다. 그런데 신동팔 동무의 표정이 점점 일그러지고 있었다.

"왜 그러십니까?"

허시정 동무가 물었다.

"이 벽 안에서 수상한 소리가 들립니다."

신동팔 동무가 답했다. 잘 들어보니 그런 것 같기도 했다.

"아이고, 그쪽은 귀도 밝으십니다."

장윤 동무가 말했다.

신동팔 동무가 말했다.

"아마 총으로 뚫어야 할 겁니다."

우리는 다 같이 일어섰다. 소총을, 벽을 향해 대고 서로 눈빛을 주고받았다. 그러고는 동시에 사격하기 시작했다.

"다다다다다다다다 탕 탕 탕!"

총소리가 울려 퍼졌다

하지만 엄청난 충격으로도 벽은 잘 뚫리지 않았다.

"이대로는 안 됩니다."

그는 그러더니 군장에서 수류탄을 두어 개 꺼내 던졌다. 벽이 활활 타오르며 폭발했다. 그제야 안이 보였다. 하지만 내부는 창고와 같이 되어 있었다. 딱히 눈에 띄는 무언가는 없었다.

장윤 동무가 말했다.

"그래도 안에 뭔가 있을 겁니다. 샅샅이 수색합시다."

우리는 영역을 분담해 수색하기 시작했다. 무려 30분 동안 총대로 두드리며 수상한 것을 찾았다. 하지만 성과는 하나도 없었다. 그때 신동팔 동무가 외쳤다.

"여기로 와보시죠."

그리로 가봤더니 작은 액자 같은 것이 벽에 붙어 있었다. 신동팔 동무가 총대로 액자를 두드리니 속이 텅 빈 것 같은 소리가 났다. 신동팔 동무와 내가 액자를 떼어 내기 시작했다. 액자는 생각보다 쉽게 벗겨졌다. 안에는 칠흑같이 어두운 통로가 있었다. 발을 디뎌 보니 위로 가는 경사길이었다. 장윤 동무가 말했다.

"어서 가봅시다."

우리는 출발했다. 만일을 대비해 출발하기 전에 문을 걸어 잠가 놓았다. 계속해서 경사길이 이어지더니 그제야 평지 길이 나왔다.

"혹시 모르니 손전등 켭시다."

4명 다 빠짐없이 손전등을 켜고 재출발했다. 통로는 끝이 보이지 않았다. 맨 앞에 가던 신동팔 동무가 멈추었다.

"전방에 방해물이 그득합니다."

앞에 가보니 짐이 쌓여 앞으로 나아갈 수 없었다. 그때였다. 통로 안에 고함이 퍼졌다.

"거기 누구냐! 당장 나와 항복해라!"

우리는 다시 출발점으로 뒤돌아가기 시작했다. 가끔 총소리가 들렸지만 무시하고 뛰었다. 드디어 출발점에 도착했고 군인 몇 명이 총대로 문을 두드리는 소리가 크게 들렸다.

신동팔 동무가 말했다.

"빨리 군장 내려놓고 무기 꺼내세요."

자칫 군인들이 방에다 수류탄을 던진다면 우리 전원의 목숨이 날아갈 수도 있는 상황이었다. 신동팔 동무가 맨 앞에서 전투태세를 갖추었다. 다시 소리가 들렸다. 이번에는 군인들이 아예 문에다 대고 총질하는 것 같았다. 문에 점점 구멍이 나고 있었다.

"우리도 빨리 공격합시다."

우리도 같이 사격했다.

"다다다다다다다다다!"

양쪽에서 총기를 난사하자 문은 쉽게 부서졌다. 한국군이 먼저 말했다.

"항복 기회를 주겠다, 너희는 어디에서 왔고, 어디 부대 출신이며, 왜 남의 보급소에 침입해 난동을 부리는지 하나도 빠짐없이 말해라"

신동팔 동무가 말했다.

"우리는 인민군 출신 간첩이다."

그러고는 우리는 다시 총기를 난사했다.

"다다다!"

하지만 남한군의 공격도 만만치 않았다. 우리가 아무리 공격을 해봐도 남한군의 총알이 수시로 날라왔다. 점점 총격이 거세졌다. 우리도 계속 피하기만 급급했다. 그때였다. 체력 빠진 신동팔 동무가 발사한 회심의 총알 한 발이 남한군의 몸을 관통했다. 남한군은 억 소리를 내며 엄청난 피와 함께 쓰러졌다. 그때부터 남한군들의 눈빛이 불타올랐다. 다 죽어가는 동료는 안중에도 없고 거센 총격만 퍼부었다. 그때부터는 아예 남한군은 아무 곳이나 총질하고 우리는 그것을 피하려 이리저리 팔딱거리는 꼴이 되었다.

남한군은 4명이 남아있었다. 우리도 조금씩 소총을 쏴 보았지만, 조준이 잘 안되었다. 갑자기 억 소리가 들렸다. 장윤 동무가 팔에 총을 맞은 것 같았다. 팔에서 피가 철철 흐르고 있었다. 장윤 동무는 뒤로 쓰러지고 우리가 그를 가리며 공격했다. 다행히 남한군이 한 명 더 총에 맞으며 싸우기 조금 수월해졌다. 남한군이 수적 열세로 인해 한 명씩 쓰러지며 곧 전원 전사하였다. 우리는 장윤 동무에게 달려갔다.

"괜찮습니까?"

신동팔 동무가 물었다.

"예, 팔이라 참을 만합니다."

장윤 동무가 답했다. 나는 그에게 널려 있던 나무판자 같은 것을 대주고 휴지로 팔을 돌돌 감아 주었다. 신동팔 동무가 말했다.

"지금 우리는 이틀 밤을 새웠습니다."

그러고 이어서 말했다.

"그러니 이 안전한 곳에서 조금 쉬다 갑시다."

우리는 다 같이 누웠다. 얼마쯤 지난 후에, 누군가의 통신용 호출기가 울렸다. 신동팔 동무가 받았다.

"위원장님이십니다."

교환원의 낭랑한 목소리가 들렸다. 김정운 위원장님이 말씀하셨다.

"그래, 일은 잘되어 가고 있느냐?"

내가 재빠르게 답했다.

"네, 우리는 남한군 보급소에 이틀간 잠입해 정보를 조금 빼냈습니다."

"그래 잘했다, 하지만 우리의 최종 목표는 이승만 남한 대통령 사살 아니냐?"

"그렇습니다."

신동팔 동무가 불편한 표정으로 답했다.

"이제 슬슬 움직일 때가 되었다. 어차피 오래 남아 봤자 너희한테 이득이 하나도 없다."

김정운 위원장님이 큰 목소리로 말씀하셨다.

"내일부터 서울로 빨리 움직여라, 서둘러야 한다."

우리가 답했다.

"예, 알겠습니다."

통화가 다 끝나고 좀 쉬니 아침이 밝았다. 우리는 다시 움직였다.

아침이라 나오기가 조금 쉬웠고 금세 보급소 앞 담장에 도달하였다. 우리는 한 명씩 담장을 넘어갔다. 신동팔 동무가 지도를 펴고 다 같이 걸어갔다. 가는 길에 목이 말라 물장수에게 물 4병을 샀다. 보급소와 서울은 무척이나 가까웠다. 고작 1시간 거리였다. 그래서인지 금세 도착해 버렸다. 우리는 운이 아주 좋았다. 우리가 서울에 간 날이 운 좋게도 이승만 대통령께서 일장 연설하시는 날이었다. 신동팔 동무가 말했다.

"오늘 바로 실행합시다."

우리는 오늘 작전을 바로 수행하기로 하였다. 우리는 일단 동네 가게에서 허름한 옷으로 바꿔입고 출발하였다. 허시정 동무가 가장 남한인 같았다. 서울 중심가에 가봤더니 당장 30분 후에 대통령이 연설하신다고 했다. 우리는 군장을 헐렁하게 메고 관중석으로 갔다. 허시정 동무가 수류탄 2개를 챙기고 신동팔 동무가 권총 3개를 챙겼다. 신동팔 동무가 말했다.

"이제 조용히 해야 하고요, 연설하는 도중에 수류탄을 던지면 권총을 쏘는 겁니다."

곧이어 이승만 대통령이 등장하였다. 얼마간 지루한 연설을 읊으시고 시민들은 지루한 기색이었다. 신동팔 동무가 수신호를 하였다. 허시정 동무가 수류탄을 던지고 우리가 권총으로 사격하였다. 연설장은 한순간에 전쟁터로 변했다. 수류탄이 계속 터지고 누구는 소리를 질렀다. 출동한 경찰들이 외쳤다.

"당장 주동자를 체포해."

얼마간 이리저리 날뛰고 우리 4명은 결국 밧줄로 묶였다. 그리고 얼굴에 까만 부직포가 씌워졌다. 수십 분간 우리는 앞도 못 보고 차로 호송되었다. 경찰서에 도착하고 우리는 각기 다른 조사실로 끌려갔다. 부직포가 벗겨지고 얼마 안 가 누군가 들어왔다. 그는 바로 친일 경찰 노덕술이었다.

"아이고, 안녕하신가."

노덕술이 말했다.

"안녕하지 않다."

내가 답했다. 그가 말했다.

"이 북한 간첩들이 해방된 지 얼마 되지도 않아 이렇게 날뛰는군."

"하지만 이제 너희는 끝장났어."

노덕술이 말했다,

그 말을 하고 그는 나갔다. 황당했다. 바로 곤봉을 찬 경찰들이 조사실로 들이닥쳤다. 나는 온갖 고문을 다 받았다. 그중 전기 충격이 대다수였다. 곧이어 허시정 동무와 장윤 동무도 부직포에 씌워진 채 이 방으로 끌려왔다. 몇 분 후 더 놀랄만한 사람이 찾아왔다. 그는 경찰 제복을 입은 신동팔 동무였다.

장윤 동무가 입술이 뒤틀리며 말했다.

"너 뭐야! 이런 배신자."

신동팔이 비웃으며 말했다.

"그래, 나는 배신자다."

그가 말했다.

"남한에 오기 전부터 생각을 바꿨지."

허시정 동무가 외쳤다.

"이런 얍삽한 인간!. 헉!"

경찰들이 곤봉으로 허시정 동무의 옆구리를 찔렀다.

신동팔 동무가 말했다.

"너희도 하루빨리 남한에 붙는 게 이득이야, 나같이 이렇게 고위 관직을 얻고 편하게 살 수 있으니까."

그가 다시 말했다.

"얘네 빨리 유치장에 넣어."

"하지만 정보를 조금 더 얻는 게 이득 아닌가요?"

한 경찰이 조심스럽게 물었다.

"그 정보는 내가 안다, 북한 간첩단에서 내가 첩자 노릇을 했으니까."

신동팔이 말했다.

"너는 꼭 김정운 위원장님으로부터 복수를 당할 거야."

허시정 동무가 말했다.

"모르나 본데 위원장님도 너희가 죽길 바라셨어, 죽나 유치장에 갇히나 뭐가 다르냐?"

신동팔이 말했다. 곤봉 찬 경찰들이 우리에게 부직포를 씌웠다. 그러고는 어디인지 모를 곳으로 끌고 갔다. 부직포가 벗겨졌을 때는 유치장 철창 안이었다. 허시정 동무와 장윤 동무도 같은 방이었다.

"우리 이제 어떡합니까?"

허시정 동무가 말했다.

"딱히 뭐 방법이 없죠." 장윤 동무가 말했다.

"죽든가 아니면 감옥 안에서 평생을 보내든가, 그게 우리가 선택할 수 있는 가짓수입니다."

허시정 동무가 말했다.

"그래도 희망을 버리지 말고, 힘을 내서 방법을 찾아봅시다."

하지만 현실은 참혹했다. 방 안에 있는 물건이라고는 녹슨 세면대와 변기 하나 그리고 국방색 침대 3개와 칫솔, 치약, 널린 물감이 전부였다. 아무리 훈련된 간첩이라도 이 소재로 탈옥하기에는 역부족이었다. 우리 3명은 국방색 침대에 그대로 널브러졌다. 깨어나 보니 하루 후였다. 허시정 동무와 장윤 동무도 곧이어 일어났다. 바로 밖으로 나가서 버터를 얇게 펴 바른 빵 한 조각과 커피를 배급받아 수용소 내부로 돌아왔다. 3명이 먹기에는 양이 너무 적었다. 우리는 허기를 달래지 못했다. 그렇게 밥을 다 먹고 나니 정말 할 일이 없었다. 태어나서 이렇게 할 일이 없었든 적은 없었던 것 같다.

장윤 동무가 갑자기 말했다.

"정말 할 일이 없네요."

"그렇게 말입니다, 계속 배만 고프네요."

허시정 동무가 말했다.

방 안에 가구나 물건이 너무 없어서 잠을 자는 그것밖에는 할 것이 없었다. 그저 앉아서 마냥 점심 식사 배급을 기다릴 뿐이었다. 시간은 야속하게도 흘러가지 않았다. 우리는 다시 침대에 누워 곯아떨어졌다. 자고 일어나니 다행히도 점심 배급 시간이었다.

교도관이 외쳤다.

"빨리 꾸물대지 말고 당장 튀어나와라."

놀랍게도 정말 많은 사람이 달라나 왔다. 실제 범죄자도 있었지만, 군인에 의해 억울하게 끌려온 사람들도 있었다. 들어온 사유는 다 다르지만, 허기에 시달리는 것은 똑같았다. 점심 배급도 너무 형편없었다. 물이나 다름없는 묽은 수프와 롤빵 하나였다. 먹는데 먹는 데 아니었다. 다시 방으로 들어오니 할 일이 정말 없었다. 자는 것밖에는 방법이 없었으나 그 잠이 오지 않았다. 이렇게 죽을 때까지 살아야 한다는 것이 참 비참했다.

허시정 동무가 말했다.

"참 비참하네요."

장윤 동무가 이어서 말했다.

"그래도 방법을 한번 찾아봅시다."

우리는 한참 동안 세면대와 침대, 칫솔과 치약 그리고 물감으로 할 수 있는 것이 무엇인지 한참 만지작거렸다. 그때였다, 우리 방에 교도관 2명이 갑자기 들이닥쳤다.

교도관이 말했다.

"무슨 말을 하고 있었나, 혹시 탈옥을 궁리하고 있는 것인가?"

"아닙니다, 절대 아닙니다."

장윤 동무가 머리를 조아렸다.

"하지만 아까 탈옥에 관한 이야기가 들린 것 같은데."

그 교도관이 따지면서 다시 말했다.

"절대 아닙니다, 혹시 그렇게 들렸다면 죄송합니다."

허시정 동무가 또 이어서 말했다.

"한 번 더 그런 듯한 말이 걸리면 가만두지 않겠네."

교도관 2명이 그 말을 하고 바로 나갔다. 우리는 다 같이 한숨을 쉬며 안심했다.

"이제 탈옥에 관한 말은 웬만하면 하지 맙시다."

우리 간첩단 3명의 마음은 다 하나같이 같았다. 그냥 탈옥해서 우리의 고향인 북한으로 돌아가고 싶었다. 하지만 그것은 확률이 거의 없었다. 우리가 갇혀 있는 곳이 최고의 보안을 자랑하는 수용소였기에 더욱 그랬다.

장윤 동무가 놀란 듯 말했다.

"지금 방법이 생각났습니다."

"무엇입니까, 그게 정녕 효과가 있습니까?"

허시정 동무가 의심스러운 듯 물었다.

"방법은 이겁니다, 내일 아침 배급받으러 갈 때, 권총 하나와 수류탄 2개를 챙겨가세요, 아침을 먹는 듯하다가 화장실 가는 것처럼 빠져나가는 겁니다, 물론 총격도 있을 겁니다."

"왜 그런 방법을 생각하지 못했을까요?"

허시정 동무가 말했다.

"그런데 그 무기를 어디서 구합니까?"

내가 물었다.

그게 문제였다. 우리가 수용소에 들어올 때 애초에 모든 총기류와 무기를 빼앗겼기 때문에 방법이 없었다.

"교도관에게 부탁해야죠, 제가 여기 올 때 금괴 5개를 숨겨 들어왔습니다, 그걸 주면 될 겁니다."

장윤 동무가 말했다.

"시간이 없으니 지금 당장 해봅시다."

내가 말했다.

"교도관님, 교도관님!"

교도관이 잔뜩 찡그린 얼굴로 다가왔다.

"뭐가 문제인가?"

그가 찡그리며 말했다.

"저희가 교도관님을 위해 금괴 5개를 준비하였습니다."

장윤 동무가 말했다.

교도관의 얼굴이 바로 화색이 되었다.

"당장 주시오."

그가 입이 귀에 걸려 말했다.

"하지만 이걸 드리면 저희 부탁을 들어주셔야 합니다, 오늘 저녁까지 저희에게 권총 3정과 수류탄 6개를 주십시오."

교도관은 살짝 고민하는 기색이었다. 얼굴을 찡그렸다 폈다 했다.

"알겠소, 오는 저녁까지 준비하겠소."

장윤 동무가 금괴 5개를 건네주며 말했다.

"이걸 드리고, 그 약속과 함께 저희에 관해 무언가라도 발설하시면 안 됩니다."

교도관은 호주머니에 금괴를 넣고 걸어갔다. 우리는 침대에서 넋 놓으며 저녁까지 시간을 보냈다. 그때, 교도관이 우리에게 다가오려는 기색을 보였다. 우리는 바로 일어서고 철창 사이로 손을 내밀었다. 교도관이 종종걸음으로 다가와 우리에게 권총 3 정과 총탄, 그리고 수류탄 6개를 건네주었다.

"감사합니다, 정말 감사합니다."

우리가 작게 말했다.

우리는 침대 밑에 총기와 무기를 숨기고 침대에 태연히 앉았다.

"내일은 한 시간 일찍 일어납시다."

장윤 동무가 말했다.

그리고 우리는 침대에 누워 곧장 잠들었다. 아침이 되었다. 우리 3인방은 잔뜩 긴장한 채 일어났다. 아침 배급이라는 목소리가 울려 퍼지고 우리는 누빈 솜 동복에 권총과 수류탄을 숨기고 나갔다. 역시나 정말 셀 수 없이 많은 사람이 나왔다. 그들은 허기짐을 참지 못하고 급기야 남들을 밀치기에 이르렀다. 아무리 교도관들이 통로 위에서 소리쳐도 무용지물이었다. 그렇게 사람들에 떠밀린 채로 낡은 배급소까지 내려왔다. 아침도 역시나 기상천외한 빠다를 얇게 펴 바른 빵 한 조각과 물이나 다름없는 아주 묽은 수프였다. 하지만 문제가 있었다. 장윤 동무가 예상한 바에 따르면 배급소를 지키는 교도관은 고작 4명뿐이었는데 오늘따라 교도관이 최고 실력을 자랑하는 계엄군 6명과 신동팔까지 있었다. 신동팔은 북한 간첩단에서 최고 실력을 자랑했기에 그 앞에서 실수라도 무기를 빼 들었다가는 셋 다 목숨이 위태로울 수 있었다.

장윤 동무가 작게 외쳤다.

"오늘 말고 내일 실행합시다."

교도관이 너무 많았기에 우리는 적극적으로 수긍했다.

우리는 배급소에서 각자 빠다를 펴 바른 빵 한 조각과 묽은 수프를 받아 우리 방으로 돌아왔다. 그런데 장윤 동무가 종이 두루마리를 들고 왔다.

허시정 동무가 물었다.

"그게 정녕 무엇입니까?"

"우리가 갇혀 있는 교도소의 내부입니다."

"그걸 도대체 누가 형님에게 주었습니까."

허시정 동무가 물었다.

"그때 그 금괴 받아 간 교도관이요."

장윤 동무가 답했다.

"참 도움이 많이 되는 분이네요."

허시정 동무가 말했다.

장윤 동무가 지도를 펼쳤다. 정말 복잡했다. 교도관이 무조건 많은 사람을 수용하려는 구조라 허술하게 8층까지 쌓여 있었다. 양측을 잇는 철길이 매우 많이 있었고 그 철길마다 교도관이 한 명씩 배치되어 있었다. 그러니까 결국 철길을 한 번 통과할 때마다 교도관 한 명을 물리쳐야 했다.

"그런데 이게 문제는 지하 벙커가 있는데 거기서 모일 것을 조율하고 감독합니다."

장윤 동무가 말했다.

"우리의 배신자 신동팔 씨도 그곳에 있다죠."

"그러니까 이 위쪽을 우리가 점령한다고 해도 결국 전면전은 지하에서 하는 겁니다."

장윤 동무가 다시 말했다.

"그런데 해당 교도관에게 입수한 정보에 따르면 화요일과 토요일에 위층 경비가 허술하다고 합니다, 그런데 다행히 내일은 화요일이에요."

"천만다행이에요"

허시정 동무가 공감했다.

교도소 내부는 복잡한 듯 아주 단순했다. 그냥 양쪽 복도가 층층이 늘어서 있고, 그 사이에 철길 통로가 있었다. 그런데 가장 큰 문제는 지하 방공호였다. 지하 방공호는 워낙 비밀스러워서 지도에도 없었고 그러다 보니 위치나 구조가 가늠이 전혀 되지 않았다. 그 사이, 우리는 받은 급식을 다 먹어 버렸다.

"각자 지하 방공호의 모습을 구상해 봅시다."

허시정 동무가 말했다.

우리는 하나 된 마음으로 침대에 드러누웠다. 나도 침대에 눕기는 했지만, 아무것도 생각나지 않았다.

장윤 동무가 작게 말했다.

"그러면 일단 교도소 위층을 점령하는 데에 전념합시다."

그렇게 누웠더니 또 점심 배급 시간이었다. 역시나 빵 하나를 받아 단숨에 해치우고 바로 곯아떨어졌다. 벌떡 일어났더니 다음 날 새벽 6시였다. 허시정 동무와 장윤 동무도 곧이어 일어났다. 교도소는 불이 꺼져 있었다. 교도관들도 덩달아 없었다. 탈출하기에는 딱 좋았지만, 문제는 자물쇠였다. 자물쇠를 뚫으려면 총격을 퍼부어야 하는데 그러다 보면 교도관들이 즉각 출동할 위험이 있었기 때문이다. 우리는 일어나서 가만히 침대에 앉아 있었다. 그러다 보니 금방 날이 밝았다. 불도 켜지고 교도관도 한둘씩 나타나기 시작했다. 우리는 아무 일도 없던 것처럼 태연히 무기를 챙겼다. 다행히 그 어떤 누구도 눈치채지 못했다. 얼마 뒤, 아침 배급을 알리는 종이 울렸다. 우리는 다 같이 식사 배급소로 갔다. 빠다를 펴 바른 빵을 먹고 싶은 마음이 굴뚝같았지만, 그보다는 탈출이 더 중요했다. 우리는 배급소 가장 끝으로 몰래 뛰어갔다. 장윤 동무와 허시정 동무와 함께 소총을 몰래 꺼내 들었다. 장윤 동무가 신호를 주고 우리는 전부 소총으로 사격하기 시작했다.

"다다다!"

총격 소리가 울려 퍼졌다. 교도관들이 그제야 상황을 인지하고 이리저리 날뛰었다.

"당장 잡아!"

교도관 몇 명이 고함쳤다.

식사 배급소는 1층이었다. 화요일답게 1층 경비는 매우 허술했다. 총격 한 번에 한 명이 사살되었다. 하지만 문제는 2층부터 8층까지의 교도관들이 전부 1층으로 무장한 채 내려오고 있었다. 수적 열세가 점점 더 심각해지고 있었다. 한 명을 사살하면 다른 한 명이 나타났다. 그 사람을 사살하면 또 다른 이가 나타났다. 급기야 우리 3명은 뛰어 도망치고 있었다. 장윤 동무가 가방을 열더니 수류탄을 치켜들었다. 그리고 수류탄 1개를 군인들 밀집 지역에 투하했다. 1층은 순식간에 쑥대밭이 되었다. 북한에서 특별 제작된 초강력 수류탄이었으니 그럴 만도 했다. 배급소는 활활 타올랐고 교도관은 거의 없어졌다. 남은 교도관들은 즉각 항복하고 불길을 수습하더니 바로 사라졌다. 급기야 1층에 우리 3명만 남았다. 안심되었다. 하지만 많이 이상했다. 분명히 이 교도소는 남한 최고의 병력을 자랑하는 그런 교도소였다. 하지만 병력을 이런 허술한 사람들로 조금 내보냈다는 것은 지하에 엄청난 병력이 대기 중이일 것이 틀림없었다. 게다가 이 교도소의 소장이 바로 신동팔이었다. 그라면 누구보다 우리와의 전면전을 고대했을 것이고 그렇다면 엄청난 병력을 몰래 남긴 것이 분명했다.

장윤 동무가 말했다.

"일단 여기서 최대한 버티다가 갑시다."

"또한, 1층은 그쪽에서 보이지 않습니다."

우리는 무기를 재충전했다. 탄약통을 꺼내 소총과 권총에 탄을 채웠다.

장윤 동무가 말했다.

"이제 슬슬 지하로 갈 때가 되었습니다."

그때였다, 경보가 울리더니 방송이 나왔다. 신동팔의 목소리였다.

"당장 지하로 달려와 항복해라, 그렇지 않으면 100여 명의 병력이 직접 찾아간다."

"어떻게 해야 합니까?"

허시정 동무가 근심 어린 목소리로 물었다. 정말 망했다. 그것도 아주 제대로 망했다. 신동팔이 벙커에 100여 명의 병력을 남겨놓았다면 결국 유치장도 우리를 죽이려는 목적으로 만들었을지도 모른다. 그래서 더 위험했다.

"일단 조금 있어 봅시다."

장윤 동무가 말했다. 우리는 소총으로 당장 사격할 태세로 서 있었다.

내가 말했다.

"여기는 조금 위험하니 숨을 곳을 찾아봅시다."

우리는 주위를 살피며 걸었다. 곧이어 교도관용 사무실 하나를 발견했다. 우리는 그곳으로 재빨리 들어갔다. 안에는 벙커와 연결되는 장치와 컴퓨터, 창가림막과 침대가 전부였다. 장윤 동무가 콤퓨터를 켰다.

그가 말했다.

"쓸모 있는 것이 하나도 없네요, 차라리 나갑시다."

우리는 다시 전쟁터가 되어버린 교도소 1층으로 들어섰다.

그때 다시 경보가 울렸다.

"아직도 찾아오지 않는군, 이제 병력이 너희를 찾아간다, 거기서 전면전을 치르자."

신동팔의 목소리가 들려왔다. 우리는 곧장 소총을 들고 전투 태세를 갖추었다. 한참이 지났을 때, 저 멀리서 엄청난 군사가 달려오는 소리가 들렸다.

"군사가 막강합니다, 튀세요!"

장윤 동무가 외쳤다.

우리는 소총으로 무장한 채 달렸다. 뒤에서 신동팔이 군사들에게 명령하는 소리가 들렸다.

"절대 놓치지 말라, 보이면 바로 사살한다."

우리는 군사들에 보이지 않는 비밀 통로로 들어섰다. 거기에는 컴퓨터 한 대가 놓여 있었다. 먼지가 켜켜이 쌓여 있었다. 장윤 동무가 켜보니 교도소 내의 이동 상황이 적나라하게 나와 있었다. 잘 보니 우리가 있는 통로를 사방에서 군인들이 포위하고 있었다. 빠져나갈 길이 없었다. 그런데 잘 보니 한 명이 우리의 통로로 다가오고 있었다.

내가 말했다.

"무슨 일이 있어도 소리를 내면 안 됩니다, 적에게 우리의 위치를 간파당하면 안 됩니다."

서서히 군인 1명이 우리에게 다가왔다. 아마 보초를 선 군인인 것 같았다. 우리는 서서히 그쪽으로 다가갔다. 군인이 눈에 보이자, 장윤 동무가 총대로 옆구리를 찔렀다. 헉 소리를 내며 군인이 쓰러졌다. 장윤 동무가 총대로 목을 후려쳤다. 그제야 군인이 죽었다. 그의 무전기는 저 멀리 던져버렸다. 그런데 느낌이 이상했다. 군인들에게 우리의 위치를 발각당한 것 같았다. 군인들이 우리를 포위해 오고 있었다. 빨간 점들이 점점 다가오고 있었다. 하지만 우리는 그에 대한 대비책을 간첩 훈련소에서 이미 배웠다. 작전명은 '유인작전'이었다. 이것은 바로 한 방향에서 뛰어오는 군인들을 통로 정중앙으로 유인한 뒤 우리는 슬그머니 후퇴하는 것이다. 그러면 적군이 이긴 줄 알고 환호하는 동안 나머지 군인들이 급히 달려올 것이고 그들은 어두컴컴한 통로에서 서로에게 총을 쏘게 되는 거다. 장윤 동무가 일단 통로 불을 모두 껐다. 그리고 우리 셋은 한 방향으로 냅다 뛰었다. 군인들이 보였다. 그들이 외쳤다.

"당장 잡아라!"

우리는 오던 방향으로 다시 냅다 뛰었다. 그리고 뒤쪽으로 총을 조금 쐈다. 계속 뛰었다. 뛰다 보니 통로 하나가 보였다. 우리는 그곳으로 들어가 문을 곧장 닫았다. 닫힌 문으로 총격 세례가 잇따랐다. 문이 부서지기 일보 직전이었다. 그렇게 우리의 작전은 실패한 듯했다. 하지만 곧이어 2조가 도착하고 그들은 1조를 우리로 착각해 서로 총을 쐈다. 신동팔이 고함치는 소리가 가끔 들렸다.

"우리는 조선민주주의인민공화국 간첩이 아니다, 너희들의 동료인 교도관 1조란 말이다."

그제야 총격이 멈췄다. 우리는 위험을 직감하고 얼른 반대편으로 뛰기 시작했다. 문이 곧 부서지고 군인들이 좁아터진 통로를 밀고 들어왔다. 뛰어가다 보니 3개의 갈림길이 나왔다.

"우리 셋 다 각자 다른 곳으로 가 교란작전을 펼칩시다."

우리는 각자 다른 길로 접어들었다. 군인들이 우왕좌왕하고 있었다. 나는 혼자 목적지 모를 목적지를 향해 뛰어갔다. 그때였다, 군인들 5명이 갑자기 중간에서 밀고 들어와 나를 막기 시작했다. 그들은 기관총을 겨누며 총기를 버릴 것을 나에게 명령했다. 나는 총을 떨어트렸다. 군인 2명이 내 양팔을 붙잡았다. 그중 최선임자로 보이는 인물이 나를 향해 사격할 태세를 취했다.

"빵!"

총소리가 나고 나는 눈을 감았다. 죽음을 결연하게 받아들이기를 결심했다. 하지만 피를 흘리며 쓰러진 건 내가 아니었다. 나를 위해 뛰어와 희생한 장윤 동무였다. 화가 머리 꼭대기까지 차고 넘쳤다. 나는 통로에 아무렇게나 총격을 난사하기 시작했다.

"너희가 모르는 것이 뭔지 아나?, 이렇게 교도소를 태운다고, 다른 견해를 가진 같은 민족을 향해 총기를 휘두른다고 너희에게 이득이 되는 건 하나도 없어!"

그 와중에 통로에 있던 군인들이 다 죽었다. 나는 곧장 장윤 동무에게 달려갔다. 하지만 거기서 죽은 장윤 동무를 지키기보다는 혼자 힘겹게 혈투를 벌이고 있을 허시정 동무를 돕는 것이 낫다고, 판단되었다. 나는 힘겹게 발걸음을 옮겼다. 나는 군인들이 나타났던 통로로 진입했다. 그곳은 정말 쥐 죽은 듯 고요했다. 하지만 언제 누가 나타날지는 모르는 일이었다. 기관총으로 이곳저곳 두들겨 보며 걸음을 옮겼다. 정말 총소리가 하나도 나지 않았다. 이러면 상황은 둘 중 하나였다. 다 죽었거나 서로서로 못 찾고 있거나. 걷고 또 걸어도 아무도 나타나지 않았다. 그때였다. 옆쪽 통로에서 총소리가 들렸다.

"탕 탕!"

나는 옆쪽 통로로 넘어가는 길을 향해 전력으로 질주했다. 그 길은 생각보다 되게 쉽게 나왔다. 옆쪽 통로는 상황이 정말 이상했다. 허시정 동무가 줄에 묶여 있고 나머지 군인들은 실신해 있었다. 신동팔은 없었다. 나는 우선 허시정 동무를 묶고 있던 줄을 향해 사격했다. 줄이 풀어지면서 허시정 동무가 나무판자 위로 떨어졌다. 그제야 실신해 있었던 군인들이 깨어났다. 정말 우왕좌왕이었다. 나는 군인들을 향해 침착하게 사격했다. 아직 무기도 제대로 갖추지 못한 터라 바로바로 쓰러졌다. 마침내 마지막 군인이 쓰러지고 나는 허시정 동무에게 달려갔다.

"장윤 동무는요?"

"죽었다."

딱 두 마디가 오갔을 뿐인데 분위기는 갑자기 삭막해졌다.

"그렇다고 우리까지 무너지면 안 돼. 내 친구 윤이도 그걸 바라지 않고."

"타당한 말씀입니다."

"이제 출발하도록 하지."

우리는 출발했다. 짧은 시간 안에 너무 많은 일을 겪어서인지 머릿속도 복잡하고 걸음도 잘 떼어지지 않았다. 하지만 우리는 가야만 했다.

"이제 내가 자네에게 동무라고 부르지 않아도 되겠나?"

"예, 저도 그렇게 말하면 왠지 좀 마음이 복잡합니다."

"혹시 자네, 신동팔에 대해 조금 본 것 없는가?"

"예, 전혀 없지만 들은 것은 있습니다, 다시 지하로 내려갔다고 합니다."

전혀 짐작되지 않는 상황이었다. 지하로 복귀했다는 것은 뭔가 잘못된 걸 눈치챘거나, 원래 작전이 그랬거나, 둘 중 하나였다.

그때였다.

"당장 잡아, 바로 사살해!"

뒤쪽에서 고함치는 소리가 우렁차게 들렸다.

"좀 뛰셔야겠습니다."

"그래야겠네."

나와 허시정은 젖 먹던 힘을 다해 뛰었다. 계속 뛰었더니 군인들과 격차가 조금 벌어져 있었다. 하지만 안심하기에도, 더 뛰기에도, 상당히 애매했다. 걷기에는 군인들이 곧 따라붙고, 뛰면 곧 체력이 고갈될 것이기에 심각한 고민이 필요했다.

"자네, 체력이 조금 더 남았는가, 더 뛸 수 있는가?"

"예, 살려면 뛰어야겠죠."

우리는 다시 뛰었다. 전력으로 질주하지는 않고 마라톤 뛰듯이 뛰었다. 그래도 뒤에는 군인들이 보이지 않았다. 우리는 살짝 안심한 상태였다. 그때부터 걸었다. 엄청난 거리를 걷고 또 뛴 것 같은 기분이 들 즈음에 죄수들이 붙잡혀 들어오는 출입구가 나타났다. 그곳은 3단 문으로 형성되어 있고 1개를 통과할 때마다 교도관의 삼엄한 감시를 받고 자신의 개인 정보를 전부

공개해야만 했다. 하지만 그곳에는 교도관은 없고 전부 쇠사슬로 묶여 있었다.

"여기는 안 되겠네, 다른 곳을 찾으러 가세."

그런데 조금 이상했다. 가는 도중에 출입구 몇 개가 더 나타나는데 전부 같은 방식으로 쇠사슬로 봉인되어 있었다. 이 정도면 거의 누군가 고의로 모든 출입구를 봉쇄함이 틀림없었다.

"어떻게 해야 하겠습니까?"

"일단 조금만 더 가보자고."

하지만 어디를 가보아도 나갈 구멍은 전혀 없었다. 그런데 더 이상한 것은 계속 군인들이 나타나지 않는다는 것이었다. 이쯤되면 나타나는 것이 정상이었지만 아닌 것을 보면 뭔가 꾸미고 있는 것이 틀림없었다.

"나중에 부대 하나가 아마 나타날 거야, 만약 부대랑 마주치면 봉쇄된 쪽으로 수류탄 3개를 터뜨리게."

"하지만 그것은 저희에게도 좋을 게."

"아니네, 거기를 터뜨려야 우리가 나갈 수 있어, 안 그러면 영영 교도소에서 쫓기며 살아야 한다네."

"예, 알겠습니다."

허시정 마침내 수긍하였다. 하지만 부대는 계속 나타나지 않았다. 우리는 계속 걸을 수밖에 없었다. 정말 지루했다. 인민군 간첩의 일종 직업병인데, 안전한 것보다는 위험하게 싸워보려는 경향이 있다. 하지만 부대가 아직은 등장하지 않았으니 살짝 안심은 되었다. 그래도 긴장을 늦출 수는 없었다. 신동팔의 특기가 계속 잠복해 있다가 갑자기 나와서 당황하게 한 후에 그곳을 폭발시켜 버리는 것이었기 때문이다. 그렇기에 우리도 군장에 온갖 무기를 다 챙기고 기관총으로 경계하며 손에 수류탄을 쥐고 가는 수밖에 없었다.

"타박타박."

나, 그리고 허시정 군화를 끄는 소리밖에 들리지 않았다. 정말 쥐 죽은 듯 고요했다. 계속해서 걸어갈 수밖에 없었다. 그때였다, 뒤쪽에서 익숙한 목소리가 들렸다.

"과연 너희가 영영 안 잡힐 줄 알았나?"

신동팔과 부대원들이었다. 그런데 생각보다 인원수가 적었다. 한 7명쯤 다시 보였다.

"잡힐 줄 알고 예상하였다."

"지금은 생각보다 인원수가 적다고 미소를 짓고 있군."

"네가 잡혀 있던 그 방을 아예 폭파했기 때문이지."

신동팔이 허시정를 가리켰다.

"여기 이 7명은 너희 실력에 버금가는 한국 최정예 요원들이야."

"그러면 이제 작전 시작하지."

신동팔이 요원들을 보며 손가락을 튕겼다. 나도 허시정에게 지시했다.

"저쪽으로 몰래 수류탄 3개를 던질 거라."

허시정이 수류탄 3개를 호주머니에서 꺼내 던졌다. 정확히 5초 후에 엄청난 화력과 함께 커졌다. 신동팔과 요원들은 고성을 지르며 뒤로 물러났다. 그 결과, 7명 중 6명이 타서 죽고 나머지 하나와 신동팔은 남았다.

"하나 더 던져라." 내가 명령했다.

하지만 그때 문제가 생겼다. 신동팔 측에서 수류탄 6개를 한꺼번에 뿌려버린 것이다. 또 정확히 5초 후에 폭발했다. 전부터 위험을 감지하고 뒷걸음질 치던 우리는 폭파 후에 조금만 날아갔지만, 던진 후 바로 터져 시간이 없었던 해당 요원은 그 자리에서 사망하고 신동팔은 유리 파편에 찔린 채 어딘가로 날아갔다.

"신동팔은 죽었어."

내가 말했다.

"어떻게 아시죠?"

허시정이 미심쩍은 눈치로 조심스레 물었다.

"기본적으로 아무도 없는 곳에 유리 파편에 찔린 채 떨어졌으니 살 수가 없네, 그리고 기적적으로 산다 해도 오래 못 가네."

내가 자신이 있게 답했다.

"그러면 이제 어디로 가야 하죠?"

"계속 걸어서 출입구가 나오면 폭파하게 시키고 나가야지."

"죄송한데요, 제가 걷기에는 너무 허기집니다."

그리고 보니 오늘따라 허시정의 얼굴이 거의 해골이 되어 있었다. 밥을 조금 먹어야 할 것 같았다.

"당장 주방 쪽으로 뛰어가세."

우리가 아무리 이 교도소 지형을 몰랐지만, 하루에도 3번씩 다녔던 배급소 위치는 정확히 기억하고 있었다. 고작 10분 만에 배급소를 찾아냈다. 다행히 밖에는 다 사라지고 잿더미밖에 없었지만, 안에는 무사했다. 우리는 그곳에서 냉장고를 뒤져 생고기와 곰팡이 핀 채소와 과일을 먹었다. 더러워도 허기지니 그냥 막 들어갔다. 얼마 정도 음식을 전투적으로 흡입하고 배가 찼을 때 저절로 다리를 뻗게 되었다. 그러다 보니 나와 허시정은 잠이 들어버렸다. 한 두어 시간 후, 우리 둘은 깨어났다.

"너무 오래 잔 것 같네, 이제 출발하지."

"예, 짐 챙기겠습니다."

배급소를 서둘러 빠져나왔지만, 우리가 정작 갈 곳은 없었다. 계속 똑같은 곳을 배회한다고 뭐가 나오는 것도 아니고 그 잘 나오던 봉쇄된 출입구마저 나오지 않았다. 발견할 때까지 계속 도는 수밖에 없었다. 한 두어 시간을 걸었을 즈음에 드디어 애타게 찾던 출구가 나타났다. 역시나 쇠사슬로 두텁게 봉쇄되어 있었지만, 우리에게는 수류탄이 있었으니 전혀 문제가 되지 않았다. 그냥 수류탄 몇 개 던져서 폭파하게 시키면 되니 말이다. 허시정 군장을 내려 수류탄 4개를 꺼냈다. 그리고 우리 둘이 두 개씩 맡았다.

"자, 하나둘 셋 하면 던지는 거네, 알았나?"

"예."

"하나! 둘! 셋!"

"펑!"

"야, 이놈들아, 거기서."

쇠사슬로 잠겨 있던 문짝이 터지면서 우리는 벽 쪽으로 날아갔다. 그런데 반대쪽에서 신동팔과 두건을 푹 눌러쓴 부하 약

50명이 달려오고 있었다.

"좀 뛰셔야겠습니다."

그러고 우리는 젖 먹던 힘을 다해 질주했다. 하지만 신동팔과 교도소 부대도 만만치 않았다. 우리가 아무리 뛰어도 간격 차는 벌려지지 않았다. 내가 얼른 차고 있던 장총을 꺼내 뒤로 쐈다. 군인 몇 명이 쓰러졌다. 우리는 군부대가 혼란해진 틈을 타서 얼른 도망쳤다. 그 덕에 격차가 조금 벌어졌다. 우리는 바로 폭파로 인해 깨진 곳으로 돌진해 밖으로 빠져나왔다. 뒤에서 뭐라고 외치는 소리가 들렸다.

"얘네가 죽은 것은 아무것도 아니다, 우리는 저놈들을 잡아야 한다고 하지 않았느냐?."

우리는 밖으로 오래간만에 나왔다. 아직 새벽 6시였다. 뒤에서 부대가 따라오고 있었기에 얼른 근처에 있던 군용 화물차에 탔다. 다행히 열쇠가 차에 있었다. 먹다 남은 주전부리며, 미군용 비상식량인 거 같아 보이는 것까지 여기저기 널려 있었다. 허시정 운전하고 내가 방어를 맡았다.

"허시정, 밟아."

허시정 출발하자마자 액셀을 밟았다. 차가 덜컹거리며 쭉쭉 나아갔다. 뒤를 돌아보니 신동팔 부대가 이제 막 짐차에 타는 중이었다. 그런데 그 차가 갑자기 바짝 따라붙더니 우리 차에 총질하기 시작했다. 나도 얼른 짐차 가운데에 있는 구멍으로 올라서서 총기를 난사했다. 양측의 사격 실력은 거의 비슷했다. 내가 쏘면 그쪽에서도 몇 발을 쐈다. 그래서 양쪽이 어떤 해도 입지 않았다.

"허시정, 내가 운전할게, 네가 망 좀 봐라."

내가 바로 운전대를 잡고 허시정 구멍 위로 장총을 가지고 올라 탔다. 나는 차를 옆으로 몰고 정지시켰다. 신동팔네 짐차가 다가왔을 무렵에 내가 운전대를 옆으로 틀어 그 차를 쓰러트렸다. 짐차가 옆으로 쓰러지더니 구덩이로 굴러떨어졌다. 아주 통쾌했다. 허시정과 같이 소리 질렀다.

"이제 소리 그만 지르고 출발하도록 하지."

"그런데 저희는 이제 어디로 가야 하나요?"

"지금 바로 공화국으로 넘어가는 것은 너무 위험하니 그 기지, 그러니까 방공호로 가지."

"잘 알았습니다."

차가 다시 덜컹거리며 나아갔다. 오랜만에 아무것도 대면하지 않고 순항했다. 단지 그때까지였다.

차를 타고 가던 중 남한군의 검문소가 나타났다. 신동팔이 미리 무전을 했는지 그래도 큰 검문소에서 군인 50명가량이 기관총으로 사격할 태세를 취하고 경계하고 있었다.

"이제 진짜 어떡하죠?"

"방법은 이거 하나밖에 없어, 저기 군인 없이 천막으로 가려진 곳을 박살을 내고 가속기 밟아."

허시정 검문소를 향해 차를 천천히 몰았다. 남한군 서너 명이 다가왔다.

"차 대고 내리세요."

군인들이 기관총을 들이대며 말했다. 허시정 현란한 기술로 군인들은 한 명도 다치지 않고 천막 막사로 돌진했다. 예상대로 막사는 천막인지라 아주 쉽게 부서졌다. 차가 쉽게 검문소를 빠져나가 구불구불한 길로 진입했다. 뒤에서 남한군이 아우성치는 소리가 들렸다. 곧 우리의 비밀 기지, 방공호에 도착했다. 차를 황급히 세우고 내려서 잡초를 치우고 방공호 뚜껑을 열었다. 먼지가 조금 내려앉아 있었지만 우리는 그대로 사다리를 타고 방공호로 내려갔다. 나중에 내가 올라와 트럭은 폭발시키고 다시 방공호 뚜껑을 잡초로 덮었다. 나도 방공호로 들어갔다. 우리는 들어가자마자 바로 실신했다. 참 길고도 긴 1달이었다. 우리의 동료 2명을 잃었으며, 믿었던 동료는 배신했다. 얻은 것도 많고 잃은 것도 많은 한 달이었다.

사진: Unsplash의Darcey Beau

제4장 고향으로

아무것도 하고 싶지 않다. 모두 포기하고 싶다. 눈을 감으면 함께 웃고 떠들던 날들이 생각난다. 그녀의 품이 그립다. 나는 남한에서 이렇게 죽는 건가. 그날이 지난 후 나는 일주일 동안 아무것도 하지 않고 누워만 있었다. 잠도 자지 않고 먹지도 않고

"리광철 동무 좀 주무시지요. 지금 일주일이 되도록 잠도 잘 안 자시고 밥도 잘 안 드십니다. 이러다 쓰러지십니다."

허시정이 걱정스러운 말투로 말했다.

마지막으로 남은 나의 동료인 허시정이다. 너무 어린 나이에 많은

아픔을 겪었다. 모든 시련과 고통을 함께 겪은 사람이다. 이런 상황에서도 밝게 웃고 있다.

"알겠다."

내가 침대에 누워서 자지 않는 이유는 하나다. 침대에 눕고 눈을 감으면 그날의 기억이 떠오른다. 떠올리기 싫어도 누군가가 나를 괴롭히듯이 내 머리를 때리는 느낌이다. 먹지도 잠을 자지도 못해서 건강은 점점 악화하고 힘은 없지만 잠이 오지도 배가 고프지도 않았다.

"리광철 동무 우리는 언제 조국으로 돌아가나요?"

허시정이 궁금한 표정으로 물었다.

조국? 내가 태어나고 자란 조국이 나를 죽이려고 했다. 그런데 돌아간다고.? 허시정은 정말 아무것도 모르는 걸까? 아님. 허시정도 나를 배신하기 위해 심어진 배신자인가? 아니다. 내가 아프고 슬플 때 옆에서 간호해 준 사람은 허시정이다. 날 죽이려고 했으면 진작에 죽였을 거다.

"저는 빨리 어머니 아버지를 보고 싶습니다. 리광철 동무가 아프신 건 알겠지만 전 빨리 어머니와 아버지가 보고 싶습니다."

"알겠다. 근데 허시정 동무도 알다시피 우리는 조국으로 돌아갈 방법이 없다. 바다는 이미 감시가 심해진 지 오래고 교도소에서 탈출한 지 며칠밖에 지나지 않아 여러 군데에는 군인들이 돌아다니고 있는데 우리가 갈 방법은 사실상 없다고 보는 것이 맞다."

허시정은 뚫어지게 나를 쳐다보면서 말했다.

"제가 생각한 방법이 있는데요. 제가 지도 하나를 발견했습니다.

이 지도에 땅굴의 위치가 나와 있습니다. 이 땅굴을 통해서 가면 어떨까요?"

아주 불가능한 건 아니다. 우리 조국은 남한 군인들과 정부가 모르게 땅굴을 파곤 했다. 바다의 감시가 심하면 땅굴로 가면 되는 것이었다. 하지만 지도를 보니 땅굴로 가는 중간 어쩔 수 없이 검문받아야 한다. 왜냐하면, 지금 바다뿐만 아니라 주변 어디나 감시가 극심해지고 있다. 전국이 다 우릴 잡기 위해 눈을 부릅뜨고 있다. 지도를 봐서는 요즘에 만들어진 것은 아닌 듯하다.

"그 지도는 언제 만들어진 거로 보이지?"

"최근은 아니지만, 땅굴의 위치는 대략 알 수 있습니다."

가능성이 없는 건 아니다. 하지만 섣불리 판단하면 예전처럼 교도소로 끌려갈 수도 있다. 그럼 우리는 영영 밖으로 나가지 못할 수도 있다. 하지만 지금 이 상태로 계속 이곳에 머물면 굶어 죽거나 들켜 죽거나 중 하나이다.

"그럼, 이번 주 안에 출발할 수 있도록 짐을 챙기도록 해."

"어떻게 준비하면 될까요?"

"일단 우리의 흔적은 모두 지우고 최소한으로 식량과 짐들을 싸라."

"네."

허시정은 신난 표정으로 크게 말했다.

우리는 내일이 아니면 내일모레 출발하기로 했다. 갑작스러운 결정이지만 시간을 끌어봐야 좋을 건 없으니 될 수 있으면 빠르게 가는 것이 지금 상황에서는 좋다. 곧 있으면 이곳을 떠난다니까 기분이 이상하다.

　다음날이 허시정과 나는 모든 준비를 끝냈다. 근데 아까부터 허시정이 무언가를 꾸물거리고 있는 것 같다.

　"리광철 동무…. 장윤 동무의 시체는 어떻게 할까요?"

　"……"

　그 말을 하려고 계속 꾸물거린 건가. 장윤은 나의 어렸을 때부터 친했던 친구이다. 까칠하고 불친절한 나에게 말을 걸어주고 같이 다녀주던 친구이다. 하지만 지금의 나는 냉정해야 한다. 나이가 제일 어린 동무인 허시정과 같이 어떤 일이 일어날지 예상할 수 없는 곳에서 나는 최선의 판단을 해야 한다. 내가 흔들리면 허시정도 같이 흔들릴 수밖에 없다.

　"시체는 땅속에 묻으면 들킬 수 있으니 태워라."

　허시정이 당황한 듯이 말했다.

　"저…정말입니까."

　나는 내가 할 수 있는 최대한 단호하고 날카롭게 말했다.

　"빨리하기나 해."

　"…네"

　내 눈치를 보고 있는 건가? 내가 무서운가. 그럴 수 있겠군. 언제나 허시정을 까칠하게 대했으니까. 그래도 지금으로선 그런 모습이 도움이 될지도 모른다.

　우리는 짐을 챙기고 땅굴로 갈 수 있는 산으로 향했다. 밖에 나와 보는 것도 오랜만인 것 같다. 처음 여기에 와서 싸웠을 때가 생각난다. 그때는 모두 서로에게 의지했는데 결국 이런 상황까지 오다니 정말 허무하고 황홀하다.

"곧 있으면 군인들이 우리를 검사할 것이다. 만약 우리가 검사를 통과하지 못하고 걸린다면 우리는 흩어져야 한다. 동무는 오른쪽 나는 왼쪽으로 가겠다."

"알겠습니다."

"가방은 꼼꼼히 검사했나?"

허시정은 당당하게 말했다.

"네."

감시하는 군인은 두 명이다. 제압할 수 있지만 일을 크게 만드는 것은 싫다. 지금으로선 최대한 조용히 가는 것을 목표로 해야 한다. 이미 남한 군인들과 경찰들이 우리가 남한의 침입한 것을 알기 때문에 지금 일을 키우는 것은 좋지 않을 것 같다.

군인들이 우리를 나와 허시정을 훑어보면 말했다.

"거기 두 분 무슨 일로 오셨죠?"

나는 미리 준비해 두었던 대사로 말했다.

"우리는 북한에서 간첩이 왔다고 해서 지원을 온 지원군입니다."

"아 그래도 검사는 꼭 받아야 합니다. 양손 머리 위에 올려 주세요."

"이렇게까지 해야 합니까?"

검사는 할 줄 알았지만, 막상 하니 긴장이 되었다.

"저희도 명령이 떨어져서 어쩔 수 없습니다. 아무리 지원을 오셨다고 해도 검사는 하셔야 합니다. 이해해 주실 거라 믿고 검사하겠습니다."

남한군은 우리는 가방을 검사하였다. 검사 전 미리 총을 분해해서 숨겨 두었다. 몸 안에 숨겨 두었으니 못 찾을 것이다.

　"정말 귀찮게 하는군."

　"신분증을 보여주시죠?"

　"같은 군인끼리 정말 까다롭게 하는군"

　우리는 위조 신분증을 내밀었다.

　"문제없습니다. 지나가셔도 됩니다."

　"그럼 수고하십시오."

　"잠깐만 멈춰 보십시오. 가방에서 탄피가 나왔습니다. 원칙상 무기는 나중에 보급받을 수 있는데 어느 부대에서 나오셨죠?"

　"그. 그게 빨리 뛰어!!"

　"어… 어 빨리 쫓아!"

　가방 안에 탄피가 있을 리가 없는데 분명 가방 안에는 식량과 물만 넣으라고 명령했는데 허시정이 실수한 것 같다.

　"응답하라! 응답하라! 지금 북한군으로 추정되는 2명을 쫓고 있다. 지원 바란다."

　젠장 왜 이렇게 된 거지 분명 가방 검사는 미리 해 놓았는데. 우리는 미리 얘기한 대로 갈라졌다. 남한군은 허시정을 쫓아갔다. 걱정하지 않아도 될 것이다. 아무리 나이가 어리더라도 북한에서의 훈련을 마친 요원이다. 다행히도 우리는 미리 신호 만들어 놓았다. 우리는 매일 밤 12시 동물 소리를 이용하여 언제 만날지, 상황 등 여러 정보를 얻을 것이다. 문제는 은신처와 식량이다. 불행인지 다행인지 허시정이 비상식량이 든 가방을 들고 있다. 어쩌면 다행일

지도 모른다⋯.

　나는 그를 지키고 싶다. 더는 갑작스러운 이별하기가 두렵고 고통스럽다. 내일 식량과 은신처를 찾아봐야겠다.

　허시정은 다행히 남한군을 따돌렸다고 했다. 허시정은 걱정이 들었는지 나의 안부를 여러 번 물었다. 나는 거짓말로 근처에 식량을 구하였다고 했다. 허시정을 걱정시킬 필요는 없을 것 같았다.

　2일째 되는 날 나는 근처에 있는 맑은 물을 찾았다. 힘들게 찾은 만큼 물은 달고 맛있었다. 오늘 계속 돌아보면서 식량을 찾으면 문제는 없을 것 같다. 하지만 벌레들이 많아서 풀잎이 풍성한 곳은 잘 들어가지 못할 것 같다.

　3일째 되는 날 오늘은 아침부터 비가 내렸다. 하필 은신처 만들기 직전에 비가 와서 비를 심하게 맞아서 몸살이 걸린 것 같다. 비도 오는데 경비가 심해져서 결국 아무것도 하지 못했다. 신호는 계속 주고받고 있지만 여러 일들 때문에 계속 미루어지고 있다. 미루면 안 좋은데 더는 미룰 수 없을 것 같다.

　4일째 되는 날 오늘은 아침 일찍 일어나서 신호를 주고받았다. 오늘 밤 11시 10분에 만나기로 하였다. 장소는 남한군에게 감시받고 도망치다가 나왔던 갈림길의 오른쪽 길에서 만나기로 하였다. 몸살은 아직도 낫지 않았다. 너무 힘들지만 참아야 한다. 더 날을 미루면 남한군에게 들킬지 모른다. 은신처의 흔적은 모두 지웠다. 오늘 꿈에서 장윤과 양상진이 나와 같이 가자고 했다. 나는 따라갔었고 그곳에는 죽은 장윤과 양상진 그리고 허시정이 있었다. 너무 생생한 꿈이었다. 오늘 만나기 위해서는

1시간이라도 잠을 자는 것이 좋을 것 같다.

만나기 20분 전. 아까부터 비구름이 몰려오더니 빗방울이 똑똑똑 한 방울씩 떨어졌다. 예감이 안 좋다. 하지만 지금 와서 약속을 취소할 수는 없다. 이제 시간이 얼마 남지 않았다. 살고 싶고 만나고 싶다. 제발 무슨 일이 없었으면….

가는 길은 별로 어렵지 않았다. 다만 남한군에게 들키지만 않으면 순조롭게 갈 수 있다. 비가 더 많이 내리기 시작했다. 비를 더 맞아서 그런지 몸살 기운이 심해진 것 같다. 머리가 아프고 기침과 어지러움까지 몸이 말을 안 듣는다. 이 정도는 참을 수 있다. 아니 참아야 한다. 나를 위해 희생해 준 동무를 위해서라도 지금 나를 애타게 기다리고 있는 그녀를 위해서라도.

경비들이 예상한 대로 앞을 막고 있다. 산의 잔디를 이용하여 숨어 갈 것인데 소리가 날 수 있으니 조심해야 한다….

"부스럭! 부스럭!"

"누구야?! 무슨 소리 나지 않았어?"

"뭔 소리야 앞이나 똑바로 봐. 너 때문에 깜짝 놀랐잖아."

"미안해 빗소리 때문에 그런가 봐 계속 소리가 들리잖아."

큰일 날 뻔했지만, 빗소리 때문에 잘 듣지 못한 것 같다. 앞으로 조금만 가면 이젠 안심해도 된다. 근데 아까부터 머리가 심하게 어지러워졌다. 조금만 제발 조금만 결국 나는 허시정과 만났다.

"이쪽에서 소리가 나고 있어."

"뛰어. 거기 누구야. 지금 당장 나와."

허시정은 다급한 말투로 말했다.

"리광철 동무 우리도 빨리 뛰어야 합니다."

더는 움직일 수 없다. 머리가 깨질 것 같다.

"허시정 너라도….."

나는 정신을 잃었다. 나는 버티지 못했다. 젠장 우리의 계획은 다 틀렸다. 나 때문에 그 누구도 아닌 나 때문에.

옆에서 불빛이 비치고 있다. 드디어 죽은 건가? 따뜻하고 편안하다. 이대로 계속 시간이 흘렀으면 좋겠다.

"리광철 동무 좀 일어나 보십시오."

허…. 이제 환각도 들리는군.

"리광철 동무 눈을 좀 보시지요."

"으응…. 허시정? 어떻게 된 거지?"

"우린 지금 근처 동굴에 숨었습니다. 어제 하루 쓰러지시고 계속 앓았습니다."

"어제 무슨 일이 있었지?"

허시정은 어제 무슨 일이 있었는지를 알려주었다.

"그게 어제 리광철 동지가 쓰러졌을 때 날 짐승이 나타나서 남한 군인들을 위협하더군요. 남한군은 도망가고 저는 그 틈을 타서 리광철 동무를 데리고 도망쳐 나왔습니다."

"큰일 날 뻔했는데 운이 좋았군. 내가 동지를 지켜줘야 하는데 미안하다."

"아닙니다. 리광철 동무 저 혼자서도 전 지킬 수 있습니다. 일단 뭘 좀 드시지요."

허시정이 저렇게 말해도 속으로는 굉장히 무서울 것이다. 나는 정말 한심하다. 내가 지켜준다고 했는데 그냥 따라오라고 했는데 그냥 나의 허세였군….

이제 남한군의 경비도 약간 허술해진 것 같다. 당연히 그럴 수밖에 우리는 그 뒤도 3일 동안 아무 의심을 사지 않도록 돌아다니지도 소리를 내지도 않았다. 남한군은 우리가 죽었거나 이미 북한으로 간 줄 알았을 것이다. 이제 움직이기 시작해야 할 것 같다.

"허시정, 우리는 내일 밤 10시 여길 떠난다. 우리가 있었던 흔적은 모두 없애고 짐은 최대한으로 챙긴다. 우리의 목표는 조국으로 가는 것이다."

허시정은 불안한 눈빛으로 말했다.

"알겠습니다. 하지만 리광철 동무의 병이 아직 모두 낫지 않았습니다. 서둘러서 갈 필요는 없다고 생각합니다. 지금 움직이면 몸살이 더 심해집니다."

"이미 동무에게 많은 도움을 받았고 난 동무에게 아무 도움도 주지 못했어. 더는 동무에게는 피해를 주고 싶지 않아."

"하지만. 아직"

"괜찮다고 해도 왜 말을 안 듣지!"

허시정은 작은 목소리로 대답했다.

"…네."

허시정에서 화를 내 버렸다. 아직 어린애인데…마음이 너무 답답했다. 지금 내 상태가 어떤지는 내가 가장 잘 안다. 나는 얼마 전에 쓰러진 데다 좋지 못한 환경에서 치료받은 탓에 아직 병이 모두 낮지 않았다. 하지만 지금 더 시간을 끌게 된다면 우리는 정말 조국으로 못 돌아갈 수도 있다. 그것만은 피하고 싶다. 만약 나는 못 가더라도 허시정만은 조국으로 보내고 싶다. 가끔 나는 조국으로 돌아가는 것이 맞나 싶다. 나를 죽이려는 상관이 아직도 나를 찾아다닐 것이다. 내가 만약 돌아간다면 내 약혼녀와 가족들이 위험할 수도 있다.

허시정도 약간 화가 난 것 같다. 그렇겠지⋯나를 위해서 간호해 주고 계속 옆에 있어 주었는데⋯ 그 일 후 우리 사이는 어색해졌다.

"허시정 동무 밥 좀 먹어라. 내가 미안하다니까. 앞에 밥을 놓아둘 테니 먹고 싶을 때 먹고 내일 다시 얘기하자."

허시정은 기어들어 가는 목소리로 말했다.

"어제는 죄송했습니다. 근데 솔직히 리광철 동무가 그렇게 말하니까 약간 억울하고 화도 났습니다."

"앞으로 내가 조금 더 조심하지. 미안하다."

우리는 화해를 한 뒤 잠을 청했다. 나는 허시정을 위해서 했던 일인데 그 일이 정말 허시정을 위한 일인지 의문이 든다. 출발할 때 냉정해져야 한다고 다짐했지만, 허시정과 함께 있으면 그렇게 안 되는 것 같다.

"리광철 동무 주무시고 있나요?"

"아니 아직 안 자고 있다. 왜 그러지?"

"⋯저 너무 무섭고 저 자신이 너무 싫습니다⋯. 우리 분명 밥도 먹고 웃고 하지 않았습니까? 근데 신동팔 동무의 배신으로 모두 다 죽고 우리 둘만 남았습니다. 가끔 신동팔 동무가 저를 죽이려는 데 리광철 동무 저를 대신해서 죽는 꿈을 꾸곤 합니다. 근데 저는 아무것도 하지 못했습니다. 그런 제가 너무 한심하고 싫습니다."

허시정이 저렇게 많이 우는 것은 처음 본다. 어떻게 해야 할지 모르겠다. 나는 언제나 효율만을 생각하며 행동하고 생각한다. 그래서 감정적인 부분을 잘 몰라 어떻게 위로해 주어야 할지 잘 모르겠다. 이때 장윤이 있었더라면….

"….허시정 잘 들어 만약 그 상황이 일어나더라도 나는 꿈과 같은 선택을 할 거야. 왜냐고 물어본다면 나는 이렇게 대답할 것이야. 나를 믿어주고 용기를 주었던 너에게 내가 할 수 있는 마지막 선택이었다고 그리고 나는 너의 미래를 믿었기 때문이라고 말이야. 만약 너와 나 둘 중 한 명이 죽어야 한다면 내가 너를 대신해서 죽을 거야"

허시정이 울면서 말했다.

"어떻게 그럴 수 있습니까? 저는 동무와 함께 가고 싶습니다. 제가 동무를 지키고 싶습니다."

"아니 동무는 이미 날 지켰어! 언제나 동무가 모를 때."

허시정은 그렇게 한동안 울면서 잠자리에 들었다. 하지만 난 잠을 자지 못했다. 허시정이 그런 생각을 하는지 몰랐다. 가슴이 아프고 답답하다.

다음 날 아침이 밝았다.

"허시정 동무 잘 들어 오늘 저녁 11시쯤 땅굴을 통해서 조국으로 돌아갈 것이야. 갈 준비를 하도록 해."

허시정은 더 반대하지 않았다. 어제 일 때문에 서로 더 믿을 수 있는 거 같다. 우리는 지금 산에서 조금만 더 가면 나오는 남한 군인들과 정부가 모르는 땅굴이 있다. 땅굴은 여러 개가 있지만 지금 상황으로는 최대한 빠르게 조국으로 돌아가기 위해서 가장 가까운 곳으로 가야 한다.

"준비는 다 끝났습니다. 이제 출발만 하면 됩니다."

"출발하지."

땅굴을 가는 데는 별문제가 없다. 하지만 땅굴이 별로 넓지 않아서 엎드려서 아마도 한나절은 가야 할 것 같다. 하루를 꼬박 세야 계속 나아가야 갈 수 있을 것 같다. 음식은 한 끼만 먹고 물도 최소한 아끼면서 마셔야 할 것이다.

"질문이 있습니다. 우리는 왜 비무장 지대로 가지 않습니까."

"비무장 지대는 남한군의 감시가 심할뿐더러 철조망을 넘어야 한다. 그리고 지뢰가 있을 가능성이 크다."

"그렇군요."

"얼마나 걸리지?"

"아직 조금 남은 것 같습니다. 지도가 많이 낡아서 잘 안 보입니다. 하지만 대략적인 위치는 알 수 있으니 괜찮습니다."

"서두르도록 하지. 벌써 자정이 다 되어간다."

지도 표시된 위치에 도착했지만, 땅굴은 보이지 않았다.

허시정은 당황한 듯이 말했다.

"이럴 리가 없는데 분명 지도에는…"

진정하고 주변을 찾아보면 땅굴을 발견할 수 있다.

"진정하고 주변을 찾아보도록 하지. 위험할 수 있으니 같이 찾아보도록 하지."

"죄송합니다…."

"그럴 필요 없다. 애초에 지도가 낡아서 이런 상황은 대충 예상했다."

절대로 포기 못 한다. 아니 하면 안 된다. 날 위해서 희생해 준 동무들을 위해서는 난 살아서 돌아갈 것이다. 그러기로 약속했으니까…

우리는 1시간 정도를 찾았지만, 땅굴은 나오지 않았다. 결국, 우리는 내일 찾기로 했다.

"죄송합니다…제가 주의를 있게 지도를 가져왔더라면…."

"허시정 동무… 나는 모두 포기하려고 했고 나는 아무 기대도 하지 않고 그냥…. 삶을 살기가 싫었어. 그렇게 모두 다 포기하려고 할 때 허시정 동무는 나에게는 즐거움이 되었고 지금까지 내가 살아가고 있는 이유 중 하나야. 허시정 동무는 나한테 희망이란 밧줄로 날 깊고 어두운 땅속에서 꺼내 준 거야. 너는 이제 나한테 동생이나 마찬가지야."

"감사하고……. 죄송합니다."

언제인지 모르게 나는 이런 감정을 느끼고 있었던 것 같다. 아무 감정 없이 메말라 있던 나를 허시정이 웃게 해주었다. 그날 침구 하나 없이 누워있었지만 따뜻하고 포근했다.

그렇게 아침이 밝았고 우리는 계속 찾은 결과 땅굴을 찾았다. 이제 가기만 하면 된다. 우리는 마지막으로 갖고 있던 것을 최소한으로 하기 위해 태웠다. 많은 시련과 고통이 있었지만 극복해 나갔다. 정말 꿈만 같았다.

"내가 먼저 들어가 보고 안전하다고 말하면 허시정 동무도 들어오면 된다."

"예."

생각보다 땅굴이 커서 일찍 도착할 수 있을 것 같다. 엎드려서 가지 않아도 된다. 시간을 단축할 수 있어 정말 다행이다….

"들어와도 괜찮을 것 같다."

땅굴 내부는 전등도 없이 깜깜했다. 우리는 미리 챙겨온 손전등을 켰다.

"그럼 들어가겠습니다."

우리는 아무 일 없이 계속 나아가고 있었는데 땅굴이 흔들리는 것이 느껴졌다. 그냥 오래된 땅굴이어서 잠시 흔들리는 건 줄 알았는데….

"지금 땅굴이 흔들리는 것 같지 않나?"

"저도 그런 것 같…!"

땅굴은 갑자기 심하게 흔들렸고 크고 작은 돌멩이들이 계속 떨어지기 시작했다. 나는 빠르게 피할만한 곳을 찾고 있었다. 다행히도 몇 발짝만 가면 피할 곳이 있었다. 나는 피 할 수 있는 곳으로 허시정을 끌고 가려고 했다. 그런데

"괜찮나? 머리를 손으로 가리고 조금만 참아 곧 있으면 멈출

것 같아."

허시정은 아무 대답도 하지 않았다.

"……"

나는 허시정을 흔들며 소리쳤다.

"허시정? 허시정 동무 대답해."

허시정은 머리에 피가 나고 있었다. 나는 달려가서 허시정을 온몸으로 막았다. 돌멩이들이 내 몸을 향해 계속 떨어졌지만 참을 수 있었다. 아니 참아야 했다. 다행히 땅굴은 무너지지 않았고 나는 빠르게 응급처치하고 옷을 찢어서 허시정의 머리를 감쌌다. 온몸은 상처투성이였지만 아프지 않았다.

"제발… 일어나줘"

몇 시간이 지난 뒤 허시정은 깨어났다. 머리에 돌을 맞았지만, 상처가 깊지 않고 돌도 많이 크지 않아서 단순 뇌진탕으로 끝난 쓰러진 것 같다. 하지만 상처가 깊어서 지금 상태로는 앞으로 나아갈 수 없을 것 같다.

"리광철 동무 제가 어떻게…"

나는 허시정을 안아주며 말했다.

"다행이야 정말 다행이야. 동무가 죽는 줄 알았어."

그리고 나는 상황 설명을 했다.

"그러고 보니 리광철 동무도 상처가 많습니다."

"이 정도 상처면 견딜 수 있으니 걱정하지 않아도 된다."

"저희 언제쯤 출발합니까?"

"안된다. 지금 출발하면 너는 쓰러 질 수도 있다."

지금 상황에서 허시정이 움직인다면 쓰러질 가능성이 크다. 방금 깨어나서 아직 충분히 휴식을 취하지 못했다. 또 식량은 떨어진 지 오래고 물은 1병밖에 남지 않았다.

"저는 괜찮습니다. 빠르게 갈 수는 없겠지만 조금씩은 나아 갈 수 있습니다. 리광철 동무가 리광철 동무의 건강 상태를 잘 알 듯이 제 상태는 제가 잘 압니다."

"지금은 가지 않아도 된다."

"리광철 동무 혼자서 해결하려고 하지 마세요. 지금 식량과 물이 부족한 건 저도 알 수 있습니다. 그리고 언제 땅굴이 무너져도 이상하지 않습니다. 지금 앞으로 나아가지 않으면 저희 죽을 수도 있습니다."

"그렇긴 하지만…"

"그럼 갈 준비하겠습니다."

"알겠으니까 좀 쉬고 있어. 내가 혼자서 준비할 테니까."

"알겠습니다."

결국, 우리는 출발했다. 상황을 봤을 때는 이 결정이 맞지만 왜 그런지 모르겠지만 기분이 화가 나고 답답하다. 지금 가지 않으면 땅굴이 무너질 가능성도 크고 위험하지만, 허시정은 움직이는 것 자체가 몸에 좋지 않다. 그런데 내가 못 지켜줘서 내가 밉다.

"머리 부분은 괜찮나?"

허시정은 괜찮은 듯이 말했다.

"아무 문제 없습니다. 이제 별로 어지럽지도 않고 뛸 수도 있을 것 같습니다."

"그래도 항상 조심해. 힘들면 힘들다고 바로 얘기하고"

"저는 괜찮습니다. 저도 다 큰 성인인데 그 정도는 제가 알아서 잘합니다."

거짓말이다. 허시정의 숨소리가 거칠고 발걸음 불규칙적이다. 가끔 머리를 만지는 걸 보니 아직도 어지러운 것 같다. 확실히 속도가 매우 느려졌다. 점점 상황이 안 좋아지고 있다. 더군다나 얼마나 남았는지 짐작이 안 된다. 땅굴이 심하게 흔들리는 바람에 여기가 어느 위치인지도 모른다.…

"얼마나 가야 하지?"

"…그게 땅굴이 흔들렸을 때 제가 지도를 잃어버렸습니다. 죄송합니다."

큰일이다. 지도가 없으면 나중에 나올 갈림길에 어느 방향으로 갈지 알 수가 없다. 한번 잘 못 가면 지금까지 갔던 길을 다시 가야 한다. 그러면 최소 3일은 더 걸린다….

"어떻게 할까요?"

"일단은 출발하다가 갈림길이 나오면 생각하지…."

"네"

우리는 계속 걸어갔다. 식량은 점점 떨어져 가고 허시정의 상태는 점점 나빠지고 있다.

"조금만 쉬었다. 가지 않겠나?"

"네."

나는 마지막 남은 물을 허시정에게 건네었다. 결국, 물도 한 모금밖에 남지 않았다. 이제 우리가 할 수 있는 것은 갈림길 찾아서 걷는 것밖에는 할 게 없다. 아…. 생각을 많이 하니 머리가 아파져 오는 것 같다.

"이제 다시 출발하도록 하지."

그때 허시정이 휘청거리면서 쓰러졌다.

"허시정!"

나는 허시정을 급하게 눕히고 마지막 남은 한 모금의 물을 허시정에게 먹였다. 그렇게 몇 시간이 지난 뒤 허시정은 깨어났다. 단순 과로 때문에 쓰러진 것 같았다.

"허시정 괜찮아?"

허시정은 이런 상황에서도 웃으면서 말했다.

"…네 괜찮습니다. 잠시 정신을 놓다가 쓰러졌네요…."

진짜 허시정이 죽는 줄 알았다. 난 또 동료를 잃는 줄 알았다.

"저 진짜 괜찮습니다. 빨리 출발해야지 빨리 조국으로 가지 않겠습니까? 빨리 갑시다."

"아니! 오늘 이곳에서 하룻밤을 자고 간다. 더 이상의 얘기는 듣고 싶지 않으니 이 말에 토 달지 말도록"

"…네"

다시는 허시정 꼴도 보기 싫다. 하지만 왜 난 계속 허시정을 걱정하게 되는 거지? 그렇게 우리는 계속 아무 말도 없이 넋 놓으며 앉아 있었다. 그러자 허시정이 먼저 말을 꺼냈다.

"리광철 동무 저 이제 제 기분 속여 말하지 않고 솔직하게 말하겠습니다."

나는 아무 말도 하지 않고 듣고만 있었다.

"저 너무 무서웠습니다. 죽는 줄 알았습니다."

허시정의 말을 듣자, 나는 마음속에 있던 무언가가 터져 나왔다. 나는 소리 없이 울었다. 처음에는 한낱 어린애라고 생각했던 허시정이 나에게는 큰 힘이 되었다. 난 그런 허시정을 지키고 싶었다. 나는 힘들게 말을 꺼냈다.

"그렇게 말해주어서 고맙다."

우리는 다시 걷기 시작했다. 식량도 물도 없고 지도도 없었다. 그렇게 계속 걷다가 갈림길이 나왔다.

"허시정 기억나는 것이 없나?"

"네…. 죄송합니다. 기억이 나지를 않습니다."

어쩔 수 없이 우리는 직진하였다. 마음이 불안해서 참을 수 없지만 다른 방법이 없으니 우리는 계속 걸었다.

"질문 하나 해도 되겠나?"

"네 얼마든지 하십시오."

"조국으로 돌아가서 가장 먼저 무엇을 할 건가?"

"흠…일단 어머니 아버지 댁에 들릴 것입니다. 그리고… 리광철 동무랑 같이 맛있는 것을 먹고 싶습니다."

장윤 말고, 처음이다. 나와 같이 밥을 먹자는 사람은 하지만 싫지 않다. 오히려 기분이 좋다. 나는 정말 허시정을 아끼게 됐다는 것을 느꼈다.

"그래. 같이 밥 한 끼 먹지."

"네."

그렇게 한참을 얘기하고 걷던 중 불빛이 눈에 들어왔다. 어둡던 땅굴에서 불빛이 나온다는 것은 밖이란 소리이다.

"허시정 드디어 불빛이 보인다."

"정말입니까? 우리 돌아갈 수 있는 겁니까?"

"그래."

정말 기쁘고 가슴이 벅찼다. 드디어 그 긴 고생이 끝났다는 것을 생각하니 너무 좋았다. 우리는 땅굴을 벗어나 땅을 밟았다. 근데 어디서 많은 본 풍경이었다. 우리는 처음으로 돌아왔다. 이럴 수도 있다고 생각했지만, 막상 상황이 덮치자, 아무 생각도 들지 않았다. 허시정은 아쉬운 목소리로 말했다.

"우리 결국 다시 돌아온 건가요?"

"그런 거 같지 아마⋯."

나는 아쉬움을 뒤로 한 채 일단 물과 식량을 구하러 가자고 허시정에게 말했다. 우리는 산속을 다시 내려갔다. 근처에 작은 집이 있었다. 집주인은 없는 걸로 보였다.

"잠시 이곳에서 쉬고 가지."

"네."

우리는 몸을 좀 눕혔다. 온몸이 상처투성이였다. 우리는 죽은 듯이 잤다. 한 시간쯤 자고 일어났을 때는 밤이었다. 허시정은 아직도 자고 있다. 나는 집에 먹을 것이 있는지 찾았다. 다행히도 집에는 감자와 곡식 등 여러 가지 먹을만한 것이 있었다. 일단 나는 급하게 밥을 올리고 상을 차렸다.

"허시정 동무 일어나서 먹을 걸 좀 먹어보지 않겠나?"

"정말입니까? 마침 정말 배고팠는데 감사합니다."

허시정은 허겁지겁 먹기 시작했다. 나도 먹고 먹었는데 계속 배가 고팠다. 그동안 너무 많이 고생시킨 것 같아서 허시정에게 미안해졌다.

"정말 맛있었습니다. 리광철 동지는 요리도 잘하시네요."

"고맙다. 저기 또 있으니 더 먹고 싶으면 더 먹어도 된다."

허시정은 바로 달려가서 감자와 밥을 더 가져왔다. 소박한 식사였지만 든든하게 배를 채울 수 있었다. 우리는 밥을 다 먹은 다음 앞으로의 계획을 짜기 시작했다. 아직 허시정의 상처가 다 나은 것이 아니므로 갑자기 움직였다가는 허시정의 상태가 더 심각해질 수 있다.

"우리에게는 두 가지 방법이 있다. 첫 번째는 다시 그 땅굴로 가서 다른 방향으로 가는 것이다. 하지만 그 땅굴은 언제 흔들릴지 모를뿐더러 아직 우리가 가보지 않은 방향이 두 가지가 있어서 또 돌아가야 할지도 모른다."

허시정이 잠시 있다가 물었다.

"두 번째 방법은요?"

".....또 다른 방법은 조국과 통신해서 지원을 요청하는 것이다."

허시정이 따지듯이 말했다.

"리광철 동무 그건 안 됩니다. 그랬다가는 리광철 동무는 죽을 것입니다."

"하지만 두 번째 방법이 더 안전하고 더 확실하다."

허시정은 큰 목소리로 말했다.

"절대로 안 됩니다. 전 리광철 동무와 함께 가겠습니다."

정말 답답하다. 나는 허시정을 밤새도록 설득하고 설득했지만, 끝끝내 허시정은 나와 같이 가겠다고 했다. 나는 어쩔 수 없이 허시정과 같이 가기로 했다. 우리는 내일모레 다시 땅굴로 가기로 했다.

다음 날 아침 우리는 정밀하게 계획을 세웠다. 또 밭에 남아 있는 감자를 모조리 캐고 식량과 물을 아껴 놓았다. 우리는 내일을 위해 철저하게 준비하고 계산했다. 허시정은 별말 없이 내 지시에 잘 따라 주었다. 우리는 낮을 정신 없이 보내었다. 그리고 밤이 되었다.

"리광철 동무 이것 좀 보세요."

나는 무슨 일이 생겼나 싶어서 빠르게 나가 보았다.

"무슨 일 생겼니?"

허시정은 아무 일 없다는 듯이 고개를 저으며 밤하늘을 가리켰다.

"저기 별을 좀 보세요. 정말 예쁘지 않습니까?"

나는 그제야 밤하늘을 바라보았다. 밤하늘은 허시정이 말한 대로 정말 아름다웠다.

"정말 예쁘군. 별 보기는 쉽지 않은데 오늘 운이 좋은 걸."

허시정은 기분이 좋은 듯 웃으며 별을 관찰했다.

나도 잠시 쉬면서 별을 보았다. 시간이 얼마나 지났을까 우리는 잠자리를 펴고 누워서 잘 준비를 했다.

"리광철 동무 우리 내일 잘할 수 있겠지요?"

허시정은 걱정 섞인 말투로 말했다.

"뭐가 걱정이지. 모두 잘 테니 걱정하지 말아라."

나는 허시정에게 조용히 말해주었다. 허시정은 진정이 되었는지 잠을 자기 시작했다. 나도 내일을 위해 잠을 청했다. 피곤했는지 나는 눈을 감자마자 잠이 들었다.

드디어 땅굴로 다시 돌아가는 날이 되었다. 우리는 어제 준비한 대로 물과 식량을 있는 데로 챙기고 갈 준비를 마쳤다.

"준비 끝났나?"

허시정은 큰 목소리로 말했다.

"네!"

나는 먼저 땅굴로 들어가고 안전하지를 확인하고 허시정을 들어오라 말했다. 다행히 땅굴은 다시 흔들리지는 않았고 우리는 평화롭게 다시 갈 수 있었다.

그리고 우리는 드디어 갈림길에 도착했다.

"우리가 직진했었으니 오른쪽 길 아니면 왼쪽 길로 가면 되겠군."

우리는 고민하다가 오른쪽 길을 선택했다. 우리는 직진해서 처음으로 돌아왔을 때보다 더 오래 걸었다. 이번에도 느낌이 좋지 않았다. 우리는 잠시 쉬었다 가기로 했다.

"리광철 동무 우리 이번에도 돌아가는 건 아니겠지요."

"나도 모르지만, 아니길 바라야 하겠지…."

우리는 감자와 곡식을 먹고 다시 출발했다. 앞으로 한 번 더 먹을 수 있는 양의 음식이 남았다. 만약 이 길이 잘못됐다면 식량도 없고, 가는 방법도 거의 없다. 우리는 이 길이 맞는 길이 길을 바라며 계속 다시 출발했다. 그때 불빛이 보이기 시작했다.

"허시정, 불빛이 보여."

우리는 긴장한 상태로 밖으로 나갔다. 밖의 풍경이 새로웠다. 우리가 맞는 길로 돌아온 것이었다. 우리는 너무 기쁜 마음에 밖으로 뛰쳐나갔다. 우리는 처음 빛을 본 아이처럼 뛰어다녔다.

"리광철 동무 우리 이제 조국으로 다시 돌아갈 수 있습니다."

그때

"탕탕탕!!"

엄청나게 큰 총소리와 허시정의 비명이 들려왔다.

"으악!"

뒤를 돌아보니 신동팔이 허시정의 머리에 총을 겨누고 있었다. 지금이 상황이 머릿속으로 이해가 되지 않았다. 나는 꿈을 꾸는지 알았다.

"신동팔…?"

신동팔이 씩 웃으면서 말했다.

"그래 네가 보는 그대로야. 내가 죽었는지 알았나?"

믿을 수가 없었다. 분명 총을 심장에다가 쏘았는데 오래 가지 못하고 죽었을 텐데 신동팔이 내 눈앞에 살아있었다.

"네가 어떻게 살아있지? 분명 네 심장에 총알 박히는 걸 봤는데.! 그때 분명 네가 쓰러지는 것을 봤는데."

"그랬었지. 네가 내 심장에 총을 쐈던 날 나도 내가 죽는 줄 알았어. 그런데 말이야. 남한의 의료 기술이 생각보다 좋더군."

"리…리…리광철 동무 살려주세요."

허시정은 손과 발이 덜덜 떨고 있었다. 그건 나도 마찬가지였었다.

"일단 진정하고 허시정을 놓아줘. 나랑 대화해 허시정은 아무 잘못 없잖아. 너는 나만 죽이면 되잖아."

신동팔은 비웃듯이 말했다.

"그럴 수는 없지."

"알겠으니 제발 허시정만은."

결국, 나는 또 허시정을 지키지 못하는 건가. 정말 바보 같다. 아니 바보다.

신동팔은 나한테 명령하며 말했다.

"총과 칼을 발로 차."

나는 아무 반항도 하지 않고 신동팔의 말에 따랐다.

"리광철 동무 저는 괜찮습니다. 어서 이놈을 쏘십시오."

신동팔은 허시정의 머리에 총을 겨누며 소리 질렀다.

"뭐라고 지껄이고 있어. 이놈이 죽고 싶나?!"

"허시정 그만해!! 내가 지금 널 구할 테니 가만히 있어. 조금만 기다려. 내가 저 새끼를 죽이고 널 구해 줄 테니."

허시정은 비웃으며 말했다.

"허 지금 네가 뭘 할 수 있지. 너도 죽음 앞에서는 똑같이 두렵고 무서운 거야. 넌 아무것도 못 해. 아무것도 하지 말고 허시정이 죽는 거나 보고나 있으라고."

맞는 말이다. 난 아무것도 할 수 없다. 지금 나에게는 무기도 힘도 없다. 난 정말 한심하다. 꼭 지킨다고 했는데 지키고 싶었는데 점점 어지러워진다. 생각해야 한다. 무조건 생각해야 한다. 분명 방법이 있을 것이다. 방법이 없다 하더라도 허시정만은 살려야 한다. 제발…

"허시정 기억나? 내가 해주었던 말. 만약 너와 나 둘 중 한 명이 죽는다면 내가 죽겠다고 했던 그날이 오늘인 거야."

허시정은 여전히 떨고 있었다. 그러면서 말했다.

"안 됩니다. 그러지 마십시오. 리광철 동지 제발…"

허시정을 위해서 죽을 각오는 이미 했다. 근데 발이 안 떨어진다. 나도 죽음 앞에서는 똑같나 보다. 조금 전만 해도 서로 얘기하고 웃고 있었는데…. 신동팔이 말한 게 맞다. 정말 분하고 괴롭다. 하지만 난 신동팔처럼 비겁하지 않다. 허시정을 지키고 싶다. 나도 허시정이 나한테 해준 것처럼 용기를 주고 싶다.

결국, 나는 분노를 참지 못하고 아무 생각 없이 무작정 신동팔을 향해 달려갔다.

"으아아아!"

무모한 것은 안다. 신동팔은 총을 가지고 있고 난 아무것도 없었다. 하지만 나는 계속해서 신동팔을 향해 달려갔다.

"리광철 동무 뭐 하시는 겁니까?! 도망치세요."

"그럴 줄 알았다."

신동팔은 허시정을 밀치고 나를 향해서 총을 겨누었다. 두려 웠다. 무서웠다. 하지만 도망치기는 이미 늦었다. 나는 신동팔 을 향해 달려갔다. 그게 내가 할 수 있는 최선이라고 생각했다. 하지만 신동팔은 전혀 당황하지 않고 정확히 나에게 총을 겨누 었다.

"잘 가라."

"탕."

그때

"넌 뭐야 저리 안 꺼져!"

허시정이 신동팔을 밀고 넘어 트였다. 나는 그때를 놓치지 않고 신동팔 위에 올라타 주먹으로 신동팔을 때렸다. 하지만 신동팔은 반격했다. 신동팔은 그새 날 발로 차서 밀어냈다. 땅굴에 서 돌에 맞지만 않았으면… 더 움직일 수가 없었다. 신동팔은 내가 처음부터 이기기엔 너무 강한 상대였다.

신동팔은 화난 듯 소리 지르며 말했다.

"허시정 너부터 없애고 다음은 리광철이다. 감히 날 때려?!"

신동팔은 다시 총을 잡고 허시정을 쏠려고 했다. 허시정은 눈을 감고 가만히 있었다. 그리고 나에게 말했다.

"리광철 동무같이 있을 수 있어서 정말 재미있고, 감사했습니다. 전 리광철 동무를 항상 존경했습니다. 또 죄송합니다. 마지막까지 곁에 있지 못해서."

신동팔은 거친 숨을 몰아쉬며 말했다.

"작별 인사는 끝났나?"

난 거짓말쟁이이다. 분명 내가 대신 죽겠다고 했는데 분명 지켜준다고 했는데 정말 최악이다. 뭐가 최선인 거지? 내가 정말 싫다. 아무것도 못 하고 가만 이서 지켜볼 수밖에 없다니…하지만 이게 마지막이라면…. 이 한 걸음 한 걸음이 나의 마지막이라면? 난 할 수 있다. 아니 해야 한다. 약속했으니까. 나는 허시정을 지키기로 약속했으니까.

신동팔은 다 끝났다는 말투로 말했다.

"곧 리광철도 따라갈 테니 기다리고 있어"

"탕!"

큰 소리와 함께 침묵이 흐르고 있었다. 분명 난 가만히 있었는데 내 몸에서 피가 난다. 배 근처가 따뜻하다. 난 죽는 건가. 허시정의 목소리가 들린다. 허시정이 살아있는 걸 보니 다행이다. 나도 이제 따라가면 되는데 바로 앞에 조국이 있는데 움직일 수가 없다. 더는…. 앞으로 나아갈 수가 없다.

허시정은 울면서 나를 부둥켜안았다.

"리광철 동지 제발… 주변에 병원이 있을 겁니다. 같이 가기로 약속했잖아요."

　아 맞다. 허시정이랑 같이 가기로 조국으로 돌아가자고 약속했지. 결국, 못 지키겠군. 내가 없어도 괜찮겠지. 허시정이라면 괜찮을 거다. 내가 없어도 잘 지내고 잘 있을 것이다.

　"미안… 해"

　"안돼!! 제발 여기 사람이… 사람이"

　꿈을 꾸었다. 내 앞에는 장윤과 양상진 그리고 허시정이 있었다. 또 그 악몽인가? 하지만 뭔가 달랐다. 모두 웃고 있었다. 모두 웃고 있었다. 평화롭고 잠잠했다.

　"리광철 고생했다. 자식 좀 멋있었다."

　장윤이 나를 안아주며 말했다. 정말 생생했다. 나는 결국 눈물을 참지 못했다. 결국, 장윤한테 안긴 채로 울고 말았다.

　"저…정말 미안해 내가 널 죽게 했어."

　장윤은 괜찮다는 말투로 말했다.

　"그렇지 않아. 난 네가 그랬던 그것처럼 나도 널 지키고 싶었던 것뿐이야."

　언제나 마음에 품고 있던 말을 하니 마음이 편해지고 가벼워진 느낌이다. 그러고 보니 상처도 사라지고 아프지도 않았다.

　"아 허시정은 어떻게 되었어?"

　"그날 허시정은 끝까지 신동팔과 싸워서 이기고 조국으로 돌아갔어. 지금은 멋있는 성인이 되었어. 그리고 항상 너에게 고맙다고 인사를 해. 허시정도 많이 컸지."

시간이 많이 지났구나. 분명 허시정이 울며 나에게 말했던 게 어제 같았는데.

"아, 내 약혼녀는?"

"잘 지내고 있어. 아직도 널 못 잊은 것 같긴 하지만…"

모두 잘 되고 있다니 정말 다행이다. 나는 주변을 성성이며 말했다. 생각해 보니 이상했다.

"이곳은 어디야?"

장윤은 웃으면서 말했다.

"이곳은……."